Las Lecturas ELI son una completa gama de publicaciones para lectores de todas las edades, que van desde apasionantes historias actuales a los emocionantes clásicos de siempre. Están divididas en tres colecciones: Lecturas ELI Infantiles y Juveniles, Lecturas ELI Adolescentes y Lecturas ELI Jóvenes y Adultos. Además de contar con un extraordinario esmero editorial, son un sencillo instrumento didáctico cuyo uso se entiende de forma inmediata. Sus llamativas y artísticas ilustraciones atraerán la atención de los lectores y les acompañarán mientras disfrutan leyendo.

El Certificado FCS garantiza que el papel usado en esta publicación proviene de bosques certificados, promoviendo así una gestión forestal responsable en todo el mundo.

Para esta serie de lecturas graduadas se han plantado 5000 árboles.

Benito Pérez Galdós

Marianela

Reducción lingüística, actividades y reportajes
de Cristina Bartolomé Martínez

Ilustraciones de Martina Peluso

LECTURAS ELI JÓVENES Y ADULTOS

Marianela
Benito Pérez Galdós
Reducción lingüística, actividades y reportajes de Cristina Bartolomé Martinez
Control lingüístico y editorial de Maria José Cobos Rueda
Ilustraciones de Martina Peluso

ELI Readers

Ideación de la colección y coordinación editorial
Paola Accattoli, Grazia Ancillani, Daniele Garbuglia (Director de arte)

Proyecto gráfico
Sergio Elisei

Compaginación
Sofia Accinelli

Director de producción
Francesco Capitano

Créditos fotográficos
Olycom, Shutterstock

P.O. Box 6
62019 Recanati MC
Italia

T +39 071750701
F +39 071977851

info@elionline.com
www.elionline.com

Font utilizado 11,5/15 puntos Monotipo Dante

Impreso en Italia por Tecnostampa Recanati – ERA 313.01
ISBN 978-88-536-0796-6

Primera edición Febrero 2012

www.elireaders.com

Sumario

6 Personajes principales

8 Actividades de Pre Lectura

10 Capítulo primero **Perdido y guiado**

18 Actividades

20 Capítulo segundo **Familia-Trabajo-Paisaje-Figuras -Tonterías**

28 Actividades

30 Capítulo tercero **Más tonterías**

38 Actividades

40 Capítulo cuarto **Historia de dos hijos del pueblo**

48 Actividades

50 Capítulo quinto **Historia de Celipín y las visiones de Nela**

58 Actividades

60 Capítulo sexto **Nela: meditabunda y fugitiva**

68 Actividades

70 Capítulo séptimo **Domesticación**

78 Actividades

80 Capítulo octavo **Los ojos matan**

86 Actividades

88 Reportaje **Benito Pérez Galdós y la novela realista**

90 Reportaje **La sociedad española del S.XIX**

92 Reportaje **La moda en el s.XIX**

94 Test final

95 Programa de estudios

Estos iconos señalan las partes de la historia que han sido grabadas:

empezar ▶ **parar** ■

PERSONAJES PRINCIPALES

Pablo Penáguilas

Florentina

Marianela

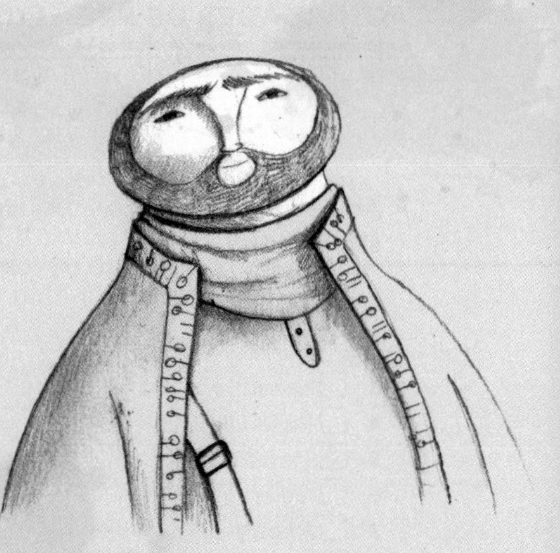

Don Francisco Penáguilas

Celipín

Teodoro Golfín

Vocabulario

1 Aquí tienes algunas palabras del primer capítulo, únelas con su significado:

1 ☐ Senda
2 ☐ Zarzas
3 ☐ Lazarillo
4 ☐ Pesadilla
5 ☐ Tinieblas
6 ☐ Galería
7 ☐ Repugnancia
8 ☐ Melancólico

a persona que acompaña a un ciego
b asco, rechazo hacia alguien o algo
c camino estrecho
d oscuridad, poca luz
e triste
f camino subterráneo en las minas
g arbusto con espinas
h mal sueño

2 ¿Cómo son los personajes? Descríbelos con las palabras del recuadro, hay 2 para cada uno.

canoso • baja • atlético • hermosa • guapo • obeso • soñador • salvaje • bigotudo • inteligente • presumida • pequeño

Marianela: _______________ y _______________ .
Pablo: _______________ y _______________ .
Celipín: _______________ y _______________ .
Teodoro Golfín: _______________ y _______________ .
Florentina: _______________ y _______________ .
Don Francisco Penáguilas: _______________ y _______________ .

Expresión escrita

3 ¿Te imaginas cuál es la historia de Marianela? Describe brevemente qué crees que va a suceder en este libro

____

____

____

____

____

____

____

____

____

Comprensión auditiva

▶ 2 **4 Ahora escucha un fragmento del Capítulo primero y contesta a las preguntas. ¿Eran tus suposiciones del ejercicio 3 correctas?**

1 ¿Dónde están los personajes?

____.

2 ¿Qué momento del días es?

____.

3 ¿Cuántos personajes aparecen en este fragmento y cómo se llaman?

____.

4 ¿A qué se dedica Teodoro Golfín?

____.

5 ¿Y Nela?

____.

6 ¿Qué problema tiene Pablo?

____.

7 ¿Qué le pasó a Nela cuando era un bebé?

____.

Capítulo primero

Perdido y guiado

▶ 2 Se puso el sol. Tras el breve crepúsculo vino tranquila y oscura la noche y el viajero siguió adelante en su camino. Iba cada vez más deprisa a medida que avanzaba la noche. Caminaba por una senda estrecha y subía por un cerro en el que se podía apreciar la vegetación típica del norte de España. Era un hombre de mediana edad, alto, ancho de espaldas, de mirada viva, ligero a pesar de su obesidad y una buena persona. Vestía el traje típico de los señores acomodados que viajan en verano, un sombrero de hongo*, gemelos* de campo y un bastón con el que apartaba las zarzas del camino.

Se detuvo mirando a su alrededor. Parecía impaciente e inquieto. Sin duda estaba perdido y esperaba encontrar a alguien que le indicara el camino. "No puedo equivocarme. Me han mandado atravesar el río y seguir adelante, siempre adelante (me gusta esta frase) hasta las famosas minas de Socartes".

Después de caminar un largo trecho* añadió: "No hay duda de que me he perdido. Este es el resultado, Teodoro Golfín, de tu adelante, siempre adelante. Esto parece un desierto, no hay nada que indique que aquí hay unas minas, ¡qué soledad! En fin, no voy a acobardarme ahora: adelante, siempre adelante".

hongo (aquí) el sombrero de hongo es de copa baja y forma semiesférica
gemelos instrumento para observar objetos que están muy lejos
trecho distancia

Siguió durante un quilómetro más escogiendo los caminos al azar, pero al final se tuvo que parar. "¿Dónde estás querido Golfín? Esto parece un abismo*, no se ve nada allá abajo. Piedras y tierra sin vegetación, debo de estar en las minas, pero no hay ni edificios ni personas. Esto es absurdo, pero esta noche voy a llegar a las minas de Socartes y abrazaré a mi querido hermano".

De repente Golfín escuchó una voz humana que sonaba a lo lejos. Era un melancólico canto que se oía en el silencio de la noche. "Una preciosa voz de mujer. Parece salida de las profundidades de la tierra... pero, si el oído no me engaña, la voz se aleja ¡eh, niña, espera!". La voz se iba perdiendo en la oscuridad y, con los gritos de Golfín, desapareció por completo. Entonces sopló un ligero viento y Golfín creyó oír pasos en el fondo del abismo que tenía delante. Puso atención y pronto estuvo seguro de que alguien andaba por ahí; entonces gritó:

—¡Muchacha, hombre o quienquiera* que seas! ¿se puede ir por aquí a las minas de Socartes?

De repente se escuchó ladrar a un perro y la voz de un hombre:

—¡Choto, Choto, ven aquí!

—¡Eh! ¡Muchacho, sujeta a ese perro!

Vio Golfín a un perro negro que se acercaba, pero después de gruñir*, volvió el perro con su amo. Este era un hombre inmóvil y sin expresión, como un muñeco de piedra. Estaba de pie en un camino debajo de él. En aquel momento salió la luna, Golfín se alegró de poder ver por fin el camino y exclamó:

—¡Gracias a Dios! ¡Hola amigo! ¿puede usted decirme si estoy en Socartes?

—Sí, señor, éstas son las minas, aunque estamos un poco lejos del

abismo profundidad grande como la de los mares o las cavidades profundas en la tierra
quienquiera persona indefinida
gruñir dar gruñidos, sonidos inarticulados que suelen ser señal de malhumor

establecimiento*, ¿va usted allí? La entrada a las minas está por otro lado, junto al camino y al ferrocarril en construcción. Por allí solo se tarda 10 minutos, por aquí es más largo y el camino es malo. Tenemos que atravesar túneles, bajar escaleras... en fin, recorrer todas las minas hasta el otro lado. Allí están los talleres, las máquinas, los hornos y las oficinas —,dijo con una voz suave y agradable—; yo le guiaré porque conozco estos sitios perfectamente.

Golfín consiguió bajar hasta el camino y llegar al lado del muchacho. Se sorprendió mucho al examinarlo.

—Soy ciego, sí, señor —dijo el joven—, pero sin vista sé recorrer de un lado al otro las minas. Llevo un palo para no tropezar y Choto me acompaña, cuando no me acompaña la Nela, que es mi lazarillo. Sígame usted y déjese llevar.

Golfín le preguntó si era ciego de nacimiento y el muchacho respondió que sí:

—Solo conozco el mundo por el pensamiento, el tacto y el oído. He comprendido que la parte más maravillosa del universo es la que no puedo ver. El don de ver me parece tan extraordinario que ni lo entiendo.

—Quién sabe... —dijo Teodoro—. Pero, ¿qué es esto?

El viajero se detuvo asombrado; estaban en un lugar parecido al cráter* de un volcán. En los bordes y en el centro de la caldera, había unas figuras enormes, hombres sin forma, monstruos increíbles. Eran de un color como el de la tierra, tirando a rojo y parecían demonios de piedra. El silencio que allí había daba miedo, se podía pensar que mil gritos y voces se habían convertido en piedra.

—¿Dónde estamos? —dijo Golfín—. Esto es una pesadilla.

—Esta zona de la mina se llama la Terrible. Ha estado en

establecimiento lugar donde se encuentra una industria
cráter boca de un volcán por donde sale humo, lava...

explotación hasta que hace dos años se acabó el mineral. Lo que usted ve son los bloques de piedra cretácea* y de arcilla* que han quedado después de haber sacado el mineral. Dicen que esto es impresionante, sobre todo a la luz de la luna. Yo no lo sé.

—Sí, es un espectáculo asombroso —dijo Golfín—, pero a mí me causa más miedo que placer. Me recuerda a mis dolores de cabeza; ¿sabe usted lo que me parece? que estoy viajando por el interior de un cerebro atacado por un terrible dolor de cabeza.

—¡Choto, Choto, aquí! Tenga cuidado caballero, vamos a entrar en una galería.

El perro entró primero olfateando* el negro agujero. Le siguió el ciego con la tranquilidad de quien vive en las tinieblas. Teodoro fue detrás, con un poco de repugnancia por esa excursión bajo la tierra.

—Es asombroso que usted entre y salga por aquí sin tropezar*.

—He crecido en estos sitios y los conozco como mi propia casa. Me paseo por aquí a menudo y me gusta mucho —dijo el chico mientras avanzaban por el túnel—. Ya estamos cerca de la salida.

Cuando salieron, el doctor Golfín volvió a escuchar el canto melancólico que había oído antes. También lo oyó el ciego; se volvió bruscamente y dijo sonriendo con placer y orgullo:

—¿La oye usted?

—Antes oí esa voz y me gustó mucho. ¿Quién canta?...

En vez de contestar el ciego se paró y gritó:

—¡Nela!... ¡Nela! No vengas. ¡Espérame en la herrería*!

Después se volvió al doctor y le dijo:

—La Nela es una muchacha que me acompaña. Al anochecer volvíamos juntos y, como hacía un poco de frío, ella fue a casa a buscarme el abrigo. No tuve paciencia de esperar a la Nela y salí con

cretácea perteneciente al periodo Cretácico
arcilla tipo de tierra
olfateando olfatear, oler muy insistentemente
tropezar encontrar algún obstáculo que impide caminar bien y puede provocar una caída
herrería taller donde se funde y trabaja el hierro

Choto. Pasaba por la Terrible cuando le encontré a usted. Pronto llegaremos a la herrería. Allí nos separaremos porque mi padre se enfada cuando llego tarde a casa. La Nela le acompañará a usted hasta las oficinas.

El túnel les había llevado a un segundo espacio más singular* que el anterior. Era una grieta muy profunda desde donde se oía un ruido parecido al de las olas del mar.

—Es la Trascava —explicó el muchacho—, un abismo que no se sabe dónde acaba. Algunos creen que llega hasta el mar; otros dicen que en su fondo hay un río que está siempre dando vueltas; otros piensan que hay allá abajo un aire que sale del centro de la tierra.

—¿Y nadie ha bajado nunca?

—Solo hay una manera de bajar allí: tirándose dentro. Los que han entrado no han vuelto a salir. La Nela y yo muchas veces nos sentamos cerca a escuchar la voz del abismo. Ella dice que puede distinguir palabras.

Entraron en otra galería que al doctor le pareció interminable. Habían salido a un sitio donde había un grupo de casas blancas.

—Aquí a la izquierda está mi casa —mientras decía esto llegó corriendo una muchacha bajita—. Nela, Nela, ¿me traes el abrigo?

—Aquí está —dijo la chica poniéndoselo sobre los hombros.

—¿Sabes que cantas muy bien? —dijo el doctor.

—Canta admirablemente —exclamó el ciego—. Y ahora Nela, acompaña al señor hasta las oficinas. Yo me quedo en casa.

—Muchas gracias por todo. Yo soy hermano de Carlos Golfín, ingeniero de estas minas.

—¡Muy amigo de mi padre! Le espera a usted desde ayer.

—Me perdí, pero gracias a eso le he conocido.

singular extraordinario, raro

Se despidieron y Golfín siguió adelante guiado por la Nela.

—Espera hija, no vayas tan deprisa —dijo Golfín deteniéndose*—; déjame encender un cigarro.

Tras encender el cigarro, acercó la cerilla* a la cara de Nela:

—A ver, enséñame tu cara.

La muchacha le miraba asombrada y sus negros y pequeños ojos brillaron con una chispa mientras duró la luz de la cerilla.

Era como una niña, ya que era bajita y delgada y de pecho pequeño. Era como una mujer pues su mirada no era la típica de la infancia. A pesar de esto era muy proporcionada y su pequeña cabeza le daba un buen aire* a su pequeño cuerpecillo. No se sabía si era una mujer pequeña o una niña con expresión de mayor.

—¿Qué edad tienes? —le preguntó Golfín.

—Dicen que tengo 16 años —contestó Nela.

—Pues estás un poco atrasada, tu cuerpo es como el de una niña.

—¡Madre de Dios! Dicen que yo soy como un fenómeno.

Comenzó a andar Nela cuidando de ir siempre al lado del viajero. Vestía una falda sencilla, no muy larga y el pelo suelto, corto y rizado. Sus palabras eran humildes, dando indicios de un carácter formal y reflexivo.

—¿Vives o trabajas en las minas? ¿Eres hija de algún empleado?

—Dicen que no tengo ni padre ni madre. Yo no sirvo para nada.

Teodoro se inclinó para mirarle la cara. Era delgada, pecosa, toda llena de manchitas oscuras. Tenía la frente pequeña; su nariz era aguileña*, pero tenía gracia; sus ojos eran negros y despiertos, aunque solía brillar en ellos una luz de tristeza. Sus labios eran muy delgados y siempre sonreían, pero era una sonrisa parecida a la de

detenerse parar
cerilla fino bastoncito de cera que se enciende cuando se frota
dar un buen aire le sentaba bien, le quedaba bien
nariz aguileña nariz delgada, parecida al pico de un águila

algunos muertos. La boca de la Nela era fea y sin gracia. Golfín le acarició el rostro y exclamó:

—Dios no ha sido generoso contigo, ¿con quién vives?

—Con el señor Centeno, trabaja en las minas.

—¿De quién eres hija?

—Mi madre era soltera. Después de tenerme se fue a trabajar a Madrid. Mi padre era el encargado de encender las farolas en las calles. A mí me crió una hermana de mi madre y dicen que mi padre vivía con ella. Cuando iba a encender las luces me llevaba en su cesta. Un día subió a limpiar la farola del puente, me subió con él y me caí al río. No me ahogué porque caí sobre piedras. Dicen que antes de eso yo era muy bonita.

—Y todavía lo eres. ¿Hace mucho tiempo que vives en las minas?

—Dicen que hace tres años. Mi madre me recogió después de la caída; mi padre se puso enfermo y se murió. Mi madre vino a trabajar a las minas, pero un día la echaron porque bebía mucho.

—Y entonces se fue...

—Se fue a un agujero muy grande que hay allá arriba —dijo la Nela en un tono patético— y se metió dentro.

—Después de eso, pobre, te has quedado trabajando aquí.

—No señor, yo no trabajo. Dicen que no sirvo para nada. Enseguida me caigo o me desmayo*. Yo no sirvo más que de estorbo*.

—¿De modo que eres una vagabunda?

—No señor, porque acompaño a Pablo, el señorito ciego. Pablo es muy bueno y dice que ve con mis ojos. Yo le explico cómo es el mundo.

Después de pasar los hornos llegaron a las oficinas. Desde allí llegaba la música de un piano y se veía la luz de alegres habitaciones. El doctor pudo ver a su hermano fumando en el balcón, dio una moneda de plata a su guía y corrió hacia la puerta.

desmayarse perder el sentido y el conocimiento
estorbo que estorba, molesta, incomoda

DELE - Comprensión lectora

1 Elige la opción más adecuada:

1 Según el texto el doctor Golfín...

a ☐ se ha perdido intentando llegar a Socartes
b ☐ no necesita ayuda para llegar a Socartes
c ☐ sintió miedo al verse solo y perdido

2 Según el texto Nela...
a ☐ es hija de un empleado de las minas
b ☐ vive con un empleado de las minas y su familia
c ☐ vive y trabaja en las minas

3 Según el texto Pablo Penáguilas...
a ☐ conoce a la perfección las minas y sus alrededores
b ☐ se quedó ciego de pequeño
c ☐ se mueve con dificultad y miedo

2 Marca con números estas situaciones por orden de aparición en el texto:

a ☐ Golfín oye el ladrido de un perro
b ☐ Nela le pone a Pablo el abrigo sobre los hombros
c ☐ Golfín enciende un cigarro y alumbra a Nela con la cerilla
d ☐ Golfín escucha una música que viene de casa de su hermano
e ☐ Sale la luna y alumbra el camino
f ☐ Nela le cuenta a Golfín su historia
g ☐ Golfín da una moneda a Nela
h ☐ Pablo le enseña la Trascava a Golfín

Gramática y vocabulario

3 Completa este fragmento del texto que has leído con uno de los siguientes verbos con la forma más adecuada del pasado:

ponerse • ir • criar • subir • recoger • ser • caer • meterse • beber • irse • vivir • llevar •

"Mi madre (1)______ soltera. Después de tenerme (2)______ a trabajar a Madrid. Mi padre era el encargado de encender las farolas en las calles. A mí me (3)______ una hermana de mi madre y dicen que mi padre (4)______ con ella. Cuando (5)______ a encender las luces me (6)______ en su cesta. Un día (7)______ a limpiar la farola del puente, me subió con él y me (8)______ al río. No me ahogué porque caí sobre piedras. Dicen que antes de eso yo era muy bonita. Mi madre me (9)______ después de la caída. Mi padre (10)______ enfermo y se murió. Mi madre vino a trabajar a las minas, pero un día la echaron porque (11)______ mucho. Y entonces se fue a un agujero muy grande que hay allá arriba y (12)______ dentro".

Actividad de pre lectura

Comprensión auditiva

▶ 3 **4 Escucha con atención la primera parte del Capítulo segundo y contesta verdadero (V) o falso (F):**

		V	F
1	La Nela vivía en una casa nueva, cómoda y elegante	☐	☐
2	Los señores Centeno la trataban con cariño, como a una hija	☐	☐
3	Nela dormía en unas cestas en la cocina	☐	☐
4	Celipín reunía dinero para marcharse de casa	☐	☐
5	Los señores Centeno habían enseñado a sus hijos a leer	☐	☐
6	A Celipín no le gusta trabajar en la mina	☐	☐
7	Nela no quiere que Celipín hable mal de sus padres	☐	☐
8	Celipín creyó que Nela estaba riendo	☐	☐

Capítulo segundo

Familia-Trabajo-Paisaje-Figuras-Tonterías

3 La Nela se dirigió a casa de los señores Centeno. Era una casa nueva, pero sin elegancia ni comodidades. Demasiado pequeña para alojar al matrimonio Centeno, a sus cuatro hijos, al gato y a la Nela. Dentro de la casa se hacía realidad la famosa frase de Marianela: que ella no era más que un estorbo. Allí parecía haber sitio para todo, menos para la Nela. A menudo se oía: "¡Cada vez que doy un paso me encuentro a la Nela!" o bien "¡Vete a tu rincón! ¡Qué niña! no hace nada ni deja hacer a los demás!".

La Nela dormía en unas cestas* que había apiladas en la cocina. Se metía en una cesta y si tenía frío se tapaba con otra. La cocina también era la habitación de Celipín, el pequeño de los cuatro hijos, que tenía unos doce años.

A veces, mientras estaban alegremente comiendo se oía una voz que decía bruscamente "Toma". La Nela recogía una escudilla* de manos de cualquier Centeno y se sentaba a comer en el suelo. Otras veces, se oía al final de la comida la voz áspera* del señor Centeno diciendo: "Mujer, no has dado nada a la pobre Nela" y ella contestaba "Ah, pero ¿estaba ahí? no me había dado cuenta".

Por las noches, después de cenar, rezaban el rosario*. Después los

cesta recipiente hecho con cañas o madera flexible que sirve para llevar ropa, fruta, etc.
escudilla vasija que se usa para servir la sopa
áspero poco suave, desapacible
rosario oración de la iglesia católica

hijos se iban a sus camas y la Nela a sus cestas. Los padres se quedaban un rato en la habitación principal, el señor Centeno intentaba leer el periódico y la Señora Ana contaba el dinero que tenían. Al cabo de un rato se apagaba la luz y todo quedaba en silencio.

Aquella noche, después de apagarse la luz, se oyó ruido de cestas en la cocina. Celipín vio que las dos cestas más altas se separaban y aparecía la naricilla de la Nela:

—Celipín, ¿estás dormido?.

—No, estoy despierto. ¿Qué quieres?

—Toma, esta noche el doctor hermano de don Carlos me dio una peseta*. ¿Cuántas tienes ya?

—Muchas gracias Nela —dijo el chico levantándose para coger la moneda—. Ya me has dado casi treinta y dos reales. Aquí los tengo guardados. ¡Eres una buena chica!

—Yo no quiero el dinero. Guárdalo bien porque si tu madre lo descubre creerá que es para vicios* y te pegará.

—No es para vicios —respondió Celipín con energía—, es para hacerme un hombre de provecho. Me voy a comprar un libro para aprender a leer, ya que aquí no me quieren enseñar. Dicen que don Carlos era hijo de un barrendero* y que él solo aprendió todo lo que sabe. Puesto que mis padres no quieren sacarme de estas malditas minas, yo me buscaré otro camino. Cuando haya reunido suficiente dinero, tomaré un tren a Madrid, o un barco que me lleve a las islas lejanas, o me pongo a servir con tal que me dejen estudiar.

—¡Madre mía! ¡Qué callados tenías esos planes! —dijo Nela

—Ay Nela, yo me muero en las minas. No pienses que soy malo, pero yo no quiero mucho a mis padres. Mira cómo nos tienen, vivimos como animales. Coger cestas de mineral, echarlas en un vagón,

peseta antigua moneda española que se mantuvo hasta la llegada del euro
vicio mala costumbre, hábito de comportarse mal
barrendero persona cuyo oficio es barrer

empujar el vagón hasta los hornos, revolver con un palo el mineral que se está lavando. ¡Ay! —al decir esto lloraba el infeliz muchacho—. Yo no sirvo para esto. Les pido a mis padres que me saquen de aquí y me pongan a estudiar y me dicen que somos pobres... ¿No me dices nada?

Nela no respondió. Quizá comparaba la condición de su compañero con la suya propia y pensaba que la suya era más triste.

—¿Qué quieres que te diga? Yo no puedo ser nada, yo no soy persona... Pero no pienses cosas malas de tus padres.

—Tú lo dices para consolarme, pero sabes que tengo razón... y me parece que estás llorando.

—Cada uno tiene sus problemas. Es tarde, vamos a dormir.

Se cerraron las cestas y todo quedó en silencio.

Se ha criticado mucho el positivismo* de las ciudades, pero hay algo peor: el positivismo de los pueblos, que mata en la gente las aspiraciones y los condena a una vida mecánica, brutal y oscura. La codicia* de la gente de pueblo es muy mala; para ellos no hay leyes morales, ni religión, ni saben qué es el bien. El aldeano codicioso es una bestia innoble: tiene todas las malicias del hombre y no tiene sentimientos, es ignorante y vive miserablemente.

Los señores Centeno reunían con el trabajo de sus hijos un dinero que les parecía una fortuna. Antes de llegar a las minas de Socartes vendían ollas de barro por los mercados. El señor Centeno no era una persona muy inteligente. La Señora Ana, en cambio, gobernaba su casa como un príncipe gobierna su Estado. Se quedaba con el jornal* de su marido y de sus hijos; le gustaban tanto las monedas, que cada vez que cobraban se ponía contentísima. A cambio de este dinero,

positivismo sistema filosófico que se basa en la experiencia y rechaza los conceptos absolutos
codicia deseo excesivo por las riquezas
jornal sueldo que gana el trabajador por el trabajo de cada día

la Señora Ana daba muy pocas comodidades a sus hijos. Pero ellos no se quejaban de la degradante y atroz* miseria en que vivían. En cuanto a la educación, la Señora Ana pensaba que lo poco que sabía leer su marido era suficiente para toda la familia. Los hijos mayores fueron a la escuela, pero al pequeño lo mandaron enseguida a trabajar a las minas. Celipín a veces se rebelaba contra el poder absoluto de su madre, pero era el único de todos sus hermanos. La Señora Ana amaba a sus hijos, ¡pero hay tantas maneras de amar!

Así trataba a sus hijos, imaginad ahora como trataba a la pobre Nela: una criatura abandonada, sola, inútil, incapaz de ganar dinero, sin pasado y sin futuro, sin esperanza, sin personalidad, sin derecho a nada. La Señora Ana pensaba ser muy generosa por acoger a Nela; muchas veces, cuando llenaba su plato decía: "¡Qué bien me gano mi puesto en el cielo!". Y lo creía de verdad, en su cerrada cabeza no cabía que un trato cariñoso y amable puede ser mejor que una buena comida. Nela siempre percibía que su lugar en esa casa estaba por debajo del gato o del mirlo*. Al menos de estos nunca se dijo: "Pobrecita, mejor sería para ella morirse".

A la mañana siguiente, cuando todo se despertaba y empezaba el trabajo en las minas, Nela salió de su casa. Llevaba en la mano un trozo de pan que le había dado la Señora Ana para desayunar. Caminaba deprisa, formal y pensativa. No tardó en llegar a las casas de Aldeacorba. La primera casa era una bonita vivienda, grande, sólida y alegre. Tenía un corral* a la entrada y un huerto en el lado derecho. Cuando Nela entró, salían las vacas que iban a la pradera. Después de saludar al mozo se dirigió a un señor obeso, con bigote, pelo cano, de cara simpática y mirada agradable. Antes de hablar la

atroz fiero, cruel, inhumano
mirlo pájaro que se domestica fácilmente y aprende a imitar sonidos y la voz humana
corral lugar cerrado y abierto que sirve para guardar animales

muchacha, se volvió hacia el interior de la casa y dijo:

—Hijo, aquí tienes a la Nela.

Salió de casa un joven de excelente figura, con la cabeza inmóvil y los ojos quietos. Su rostro era perfecto y sus ojos, a pesar de ser ciegos, eran hermosos y grandes. No tenía más de veinte años y su cuerpo estaba admirablemente bien proporcionado. La única incorrección de la naturaleza que tenía es que no podía ver.

Don Francisco Penáguilas, padre del joven, era un hombre muy bueno. De joven había estado en América y cuando regresó, sin dinero, entró en la Guardia Civil. Cuando se retiró a su pueblo natal, Aldeacorba, heredó* una propiedad y más tarde, otra.

Su esposa murió muy pronto dejándole un hijo ciego. Esta fue la pena más grande que tuvo este buen padre. Le hubiera gustado poder dar sus ojos a su hijo, pero esto no era posible. A cambio, hacía todo lo posible para dar a su hijo una vida feliz. Le divertía con cuentos y lecturas, cuidaba su salud, su instrucción y su educación religiosa.

Al verle salir y que la Nela le acompañaba fuera les dijo:

—No os alejéis mucho, no corráis. Adiós.

Pablo y Marianela salieron al campo con Choto, que corría contento moviendo la cola.

—Nela —dijo Pablo—, ¿adónde vamos hoy?

—Seguiremos por estos prados* —contestó la chica metiendo su mando en uno de los bolsillos del muchacho—. ¿Qué me has traído?

—Busca bien y encontrarás algo —dijo Pablo riendo.

—¡Madre mía! Chocolate, ¡con lo que me gusta el chocolate!... Nueces, algo envuelto en un papel...

—¿Adónde vamos hoy?— repitió el ciego.

heredar recibir algo de una persona cuando ésta muere
prado en la naturaleza trozo de tierra con hierba para que coman los animales

—Adonde quieras, niño de mi corazón.

Los ojos de Nela brillaban de contento. Aquella débil criatura, se volvía más fuerte cuando estaba a solas con su amo y amigo. Junto a él tenía espontaneidad, agudeza, sensibilidad, gracia, fantasía. Para ella, separarse de él era como quedarse encerrada en una prisión.

—Yo quiero ir donde tú digas, me gusta obedecerte —dijo el ciego—. Si te parece bien, iremos al bosque.

—Bueno, iremos al bosque —exclamó Nela batiendo las palmas—. Como no tenemos prisa, nos sentaremos cuando estemos cansados. ¡Ay qué hermoso día y que contenta estoy!

—¿Brilla el sol? Aunque me digas que sí no lo entenderé porque no sé qué es brillar.

—Brilla mucho. ¿Y a ti qué te importa eso? El sol es muy feo, no se le puede mirar a la cara porque duele la vista. ¿Tú que sientes cuando estás alegre?

—¿Cuando estoy libre, contigo, solos los dos en el campo? Siento dentro de mi pecho una frescura, una suavidad dulce...

—Pues ya sabes cómo brilla el sol.

—¿Con frescura?

—No, tonto... ¡con eso! —afirmó convencida Nela.

—Ya veo que esas cosas no se pueden explicar. Yo sé que es de día cuando estamos juntos y es de noche cuando estamos separados.

—A mí, que tengo ojos, me parece lo mismo.

—Voy a pedirle a mi padre que te deje vivir en mi casa para que no te separes de mí.

—¡Bien, bien! —dijo Marianela aplaudiendo.

Después de bajar un gran trecho, subieron una cuesta entre castaños* y nogales*. Al llegar arriba Pablo dijo a su compañera:

—Si no te parece mal, sentémonos aquí. Choto, ven acá.

castaño árbol cuyo fruto son las castañas

nogal árbol cuyo fruto son las nueces

—Esto está lleno de flores —exclamó Nela.

—Cógeme un ramo*. Aunque no las veo, me gusta tenerlas en la mano. Me parece que puedo oírlas.

—Las flores son las estrellas de la tierra —dijo Nela acariciando la mano de su amigo.

—Vaya tontería. Y las estrellas, ¿qué son?

—Son las miradas de los que se han ido al cielo. Y las flores son las miradas de los que han muerto y todavía no han ido al cielo.

—No, no, —dijo Pablo con seriedad. No digas tonterías. Nuestra religión nos enseña que el cuerpo y el alma se separan y la vida mortal se acaba. Eso lo dicen la fe y la razón. Tu religiosidad, Nela, está llena de supersticiones*. Yo te enseñaré ideas mejores.

—No me han enseñado nada. Nuestra madre la Virgen nos mira a través de todas las cosas buenas del mundo. Y los muertos se quedan bajo tierra echando flores hasta que se limpian de pecados y suben volando al cielo.

¡Qué disparates*! Tu alma es sencilla y tienes mucha fantasía. Se nota que eres inteligente. Debes hacer algo que yo no puedo hacer: aprender a leer. Desde que te conozco he visto todas las maravillas de tu alma. Parece que fue ayer cuando empezamos nuestros paseos, ¡hay una relación tan grande entre lo que sientes tú y lo que siento yo! Cuando hablas me siento conmovido* y entusiasmado.

—¡Madre de Dios! Yo siento que estoy en el mundo para ser tu lazarillo, y que mis ojos solo sirven para guiarte y decirte cómo son todas las cosas hermosas de la tierra.

El ciego extendió sus manos para tocar el cuerpo de su amiga:

—Dime Nela, ¿cómo eres tú?

La Nela no dijo nada. Había recibido una puñalada*.

ramo conjunto de flores o hierbas
superstición creencia en algo que va más allá de la razón
disparate algo fuera de la razón
conmovido que siente compasión o ternura
puñalada golpe con un puñal, un cuchillo; (sentido figurado) gran tristeza repentina

DELE - Gramática y vocabulario

1 Este fragmento describe a los señores Centeno. Elige la opción adecuada para completarlo:

	a	b	c
1	**a** los	**b** les	**c** le
2	**a** antes de	**b** antes	**c** después
3	**a** era	**b** fue	**c** estaba
4	**a** en vez	**b** en el contrario	**c** en cambio
5	**a** el cual estaba	**b** que era	**c** el que era
6	**a** se convertía	**b** ponía	**c** se ponía
7	**a** atroz	**b** divertida	**c** áspero
8	**a** cuanto a	**b** relación a	**c** en cuanto a
9	**a** por	**b** para	**c** en
10	**a** enseguida	**b** sin prisa	**c** en seguida
11	**a** con	**b** frente	**c** contra
12	**a** tan	**b** tantas	**c** tantos

Los señores Centeno reunían con el trabajo de sus hijos un dinero que (1)_____ parecía una fortuna. (2) _____ llegar a las minas de Socartes vendían ollas de barro por los mercados. El señor Centeno no (3) _____ una persona muy inteligente. La Señora Ana, (4) _____ , gobernaba su casa como un príncipe gobierna su Estado. Se quedaba con el jornal de su marido y de sus hijos, (5) _____ una buena cantidad; le gustaban tanto las monedas, que cada vez que cobraban (6) _____ contentísima. A cambio de este dinero, la Señora Ana daba muy pocas comodidades a sus hijos. Pero como ellos no se quejaban de la degradante y (7) _____ miseria en que vivían, la Señora Ana dejaba pasar el tiempo.
(8) _____ la educación, la Señora Ana pensaba que lo poco que sabía leer su marido era suficiente (9) _____ toda la familia. Los hijos mayores fueron a la escuela, pero al pequeño lo mandaron (10) _____ a trabajar a las minas. Celipín a veces se rebelaba (11) _____ el poder absoluto de su madre, pero era el único de todos sus hermanos.
La Señora Ana amaba a sus hijos, ¡pero hay (12) _____ maneras de amar!

Expresión escrita

2 Celipín quiere marcharse de Socartes, estudiar y hacer fortuna. ¿Cómo crees que será su vida? Escribe un texto de 50 o 60 palabras. Utiliza los futuros y las expresiones de probabilidad/posibilidad.

En mi opinión, Celipín... ______________________________

____

____

____

____

____

____

____

____

____

ACTIVIDADES DE PRE LECTURA

Comprensión auditiva y expresión oral

▶ 4 **3 Escucha este fragmento del capítulo 3 y contesta a las siguientes preguntas:**

1 ¿Quién dice Pablo que es Teodoro Golfín?
2 ¿Cuál es la buena noticia que le da Pablo a Nela?
3 ¿Por qué crees que Nela se siente triste cuando escucha la noticia?

4 ¿Qué crees que pasará si Pablo recupera la vista? Explícaselo a tus compañeros durante 3 o 4 minutos. Podéis hacer un debate, cada uno tiene que defender lo que cree que va a pasar.

Capítulo tercero

Más tonterías

Habían descansado. Siguieron adelante hasta llegar a la entrada del bosque. Se detuvieron ante un paisaje maravilloso para el alma.

Pablo se sentó en el tronco* de un nogal y al cabo de un rato dijo:

—¿Qué haces Nela? ¿Dónde estás?

—Aquí —contestó ella—. Estaba mirando el mar.

—Todos dicen que ninguna hermosura iguala a la del mar a causa de su sencillez. Escúchame... pero ¿qué haces?

—Aquí estoy. Estaba pensando por qué Dios no dio alas a las personas para volar como los pájaros.

—Nos ha dado el pensamiento, que vuela más que los pájaros.

—Pues a mí me gustaría tener las dos cosas: alas y el pensamiento.

El ciego alargó su mano hasta tocar la cabeza de Nela.

—Siéntate junto a mí. ¿No estás cansada?

—Un poco —dijo ella sentándose y apoyando* su cabeza con confianza en el hombro de su amo.

—Respiras fuerte Nela, tú estás muy cansada. Es de tanto volar... Te quería contar una cosa que mi padre me leyó anoche. Eran unas páginas sobre la belleza. El autor decía que la belleza era el resplandor de la bondad* y de la verdad.

tronco tallo de los árboles que entra en la tierra
apoyar poner el peso de una parte del cuerpo sobre otra cosa o persona
bondad cualidad de las personas buenas

—Ese libro —dijo la Nela— no será como uno que tiene Centeno, Las mil y no sé cuántas noches.

—No tontuela, habla de la belleza absoluta. ¿Entiendes la belleza ideal?... una belleza que no se ve ni se percibe* con los sentidos.

—Como la Virgen María, a quien no vemos ni tocamos.

—Así es. Mi padre cerró el libro y hablamos un rato del tema de la forma, y mi padre dijo: "Desgraciadamente, tú no puedes comprenderlo". Yo dije que sí, que solo había una sola belleza y que esa servía para todo.

La Nela no estaba muy atenta a estas cosas, había cogido las flores de las manos de su amigo y combinaba los colores.

—Yo tenía una idea sobre esto y le dije a mi padre: "Hay un tipo de belleza encantadora, un tipo que contiene todas las bellezas posibles; ese tipo es la Nela". Mi padre se echó a reír y me dijo que sí.

La Nela se puso roja como una amapola* y no supo responder.

—Sí, tú eres la belleza más perfecta que puede imaginarse. ¿Cómo podrías no ser hermosa? Una hermosura que representa tu bondad, tu inocencia, tu candor, tu gracia, tu imaginación, tu alma celestial y cariñosa que alegra mis días tristes. Nela, Nela —añadió—, ¿verdad que eres muy bonita?

—Yo... —murmuró la Nela con timidez—, no sé, dicen que cuando era niña era muy bonita... Ahora... ya sabes tú que las personas dicen muchas tonterías..., también se equívocan.

—¡Bien dicho! Ven aquí, dame un abrazo.

La Nela no fue enseguida porque se había puesto las florecillas en el pelo y quería mirarse en el agua del estanque*. Por primera vez en su vida se sentía presumida*.

—¿Qué haces Marianela?

percibir recibir algo
amapola flor de color rojo que nace en los campos y los invade
estanque balsa para recoger agua
presumida persona que cuida mucho su aspecto físico

—Me estoy mirando en el agua. Pero el agua se ha puesto a temblar* y no me veo bien.

—¡Qué linda eres! Ven aquí —dijo el ciego extendiendo los brazos

—¡Linda yo! —dijo ella confusa—. No soy tan fea como dicen. Es que también hay muchos que no saben ver. ¡Es que yo no me visto como se visten otras!

—La vista puede causar grandes errores, aparta a los hombres de la verdad absoluta... y la verdad absoluta dice que tú eres hermosa —dijo el ciego dejándose llevar por el absurdo—. Ven aquí Nela, quiero tenerte junto a mí y abrazar tu cabeza.

Marianela se lanzó a los brazos de su amigo.

—Chiquilla* bonita, ¡te quiero mucho! ¡Quiéreme o me muero!

Nela no dijo nada, su corazón estaba lleno de sentimientos hermosos. Cuando se soltó de los brazos de Pablo fue a mirarse al agua otra vez y no le gustó nada lo que vio:

—¡Madre de Dios, soy feísima! —murmuró la Nela—. Vamos Pablo, volvamos a casa, pronto será hora de comer.

—Sí, vamos, comerás conmigo y esta tarde saldremos otra vez. Dame la mano: no quiero que te separes de mí.

Cuando llegaron a casa los estaban esperando el padre de Pablo, el ingeniero* de las minas y su hermano Teodoro Golfín.

—Hace rato que te estamos esperando, hijo —dijo don Francisco a su hijo mientras le presentaba al doctor.

—Veamos este caso —murmuró Golfín.

Todos entraron excepto Marianela, que se quedó en medio del patio, inmóvil y asombrada.

▶ 4 Al día siguiente Pablo y su guía salieron de la casa a la hora de

temblar agitarse con sacudidas por todo el cuerpo por miedo o nerviosismo

chiquilla niña

ingeniero persona que trabaja en la ingeniería

siempre, pero como no hacía buen tiempo decidieron que el paseo no fuera largo.

—Nela, tengo que hablarte de una cosa que te hará saltar de alegría* —dijo el ciego cuando estuvieron lejos de la casa—. Ya viste aquellos caballeros que me esperaban ayer...

—Don Carlos y su hermano, el que encontramos perdido.

—Es un famoso sabio que ha recorrido América haciendo curas maravillosas. Ha venido a visitar a su hermano y mi padre le ha pedido que me examine... ¡Es muy cariñoso y bueno! Primero estuvo hablando conmigo: me preguntó varias cosas y me contó otras muy divertidas. Después me examinó los ojos... al cabo de mucho rato dijo unas cosas de medicina que no entendí. Me acercó a la ventana y me volvió a observar con no sé qué instrumento. Después el doctor le dijo a mi padre: "lo intentaré". También decían otras cosas en voz baja y creo que hablaban por señas*. Cuando se marcharon, mi padre me dijo: "Hijo, soy muy feliz. Ese hombre me ha dado esperanza, muy poca, pero cuánto más pequeña es la esperanza más fuerte nos agarramos a ella". Me di cuenta de que mi padre estaba llorando... ¿Pero qué haces Nela? ¿Hacia dónde vamos hoy?

—Hoy no hace buen día. Vamos a la Trascava, luego bajaremos al Barco y a la Terrible.

—Como tú quieras... ¡Ay, Nela, compañera mía! Ojalá sea verdad, ojalá pueda ver.

—Seguro que sí, me lo dice mi corazón.

—¡Tu corazón! A veces las almas escogidas pueden presentir un suceso. Yo lo he observado en mí, como la vista no me distrae* de observarme a mí mismo, a veces mi espíritu me susurra cosas incomprensibles. Después ha pasado un acontecimiento y he dicho

saltar de alegría estar muy contento

hablar por señas hablar con gestos y sin pronunciar palabras

distraer apartar la atención de algo

sorprendido: "Yo sabía que esto iba a pasar".

—A mi me pasa lo mismo. Ayer me dijiste que me querías mucho y yo pensé: "Es raro, pero yo ya lo sabía".

—Es maravilloso como se ponen de acuerdo nuestras almas. Están unidas por la voluntad, solo les falta un lazo. Si adquiero la vista, tendremos ese lazo* que nos falta. La idea de ver va unida a la de quererte más. Ver significa para mí admirar de una manera nueva lo que ya me causa mucha admiración y amor... Pero me parece que hoy estás triste.

—Sí, lo estoy... y la verdad es que no sé porqué... Estoy muy alegre y muy triste a la vez. ¡Hoy está tan feo el día! ¡A veces desearía no tener día, solo noche siempre!

—No, no; déjalo como está. Noche y día: ¡que feliz seré si puedo al fin diferenciaros! ¿Por qué nos paramos?

—Estamos en un lugar peligroso. Apartémonos a un lado.

—¡Ah!, la Trascava. El que cae en ella no puede volver a salir. Vámonos Nela, no me gusta este sitio.

—Tonto, de aquí a la entrada de la cueva hay mucho camino. ¡Hoy está muy bonita!

La Nela observaba la boca de la sima* que se abría como la boca de un embudo*. Un césped muy fino cubría las vertientes de aquel cráter, pequeño pero profundo. En el fondo se veía un agujero oculto por espesas hierbas. La Nela no se cansaba de mirar.

—¿Por qué dices que es bonita? —le preguntó su amigo.

—Porque hay muchas flores. La semana pasada estaban todas secas, pero han vuelto a nacer y ahora está muy bonito. Hay muchos pájaros y muchas mariposas que están cogiendo miel en las flores.

lazo atadura o nudo de cintas que sirve como adorno

sima cavidad grande y muy profunda en la tierra

embudo instrumento ancho por arriba y estrecho por abajo

—A mí este sitio me parece horrible —dijo Pablo tomando del brazo a la muchacha—. Y ahora, ¿vamos hacia las minas? Sí, ya conozco este camino, ya estoy en mi terreno. Por aquí vamos directos a barco. ¿Dónde está nuestro asiento? Vamos allí.

Desde el fondo subieron un poco por el peligroso sendero* entre piedras, tierra y hierbas y se sentaron a la sombra de una enorme peña que tenía en el centro un corte en forma de asiento.

—¡Qué bien se está aquí! A veces suele salir aire por esa grieta*, pero hoy no siento nada. Lo que siento es el ruido del agua dentro de la Trascava.

—Hoy está calladita —observó la Nela—, ¿quieres echarte?

—Buena idea. Anoche no dormí bien pensando en lo que me dijo mi padre, en el médico, en mis ojos... Toda la noche soñé que una mano entraba en mis ojos y abría una puerta cerrada —dijo Pablo mientras se sentaba sobre la piedra y ponía su cabeza en el regazo* de la Nela—. Aquella puerta, se abrió y daba paso a una habitación donde se encerraba la idea que me persigue. ¡Ay, Nela de mi corazón! ¡Ojala Dios me dé el don que me falta! Para que los dos seamos uno solo me falta verte y recrearme en tu belleza con el placer de la vista. Tengo la curiosidad del espíritu, pero me falta la de los ojos. Yo estoy lleno de tu belleza, pero hay algo en ella que no me pertenece todavía.

—¿No oyes? —dijo de repente la Nela—. Aquí dentro... ¡La Trascava!..., está hablando. La Trascava es un murmullo, a veces oigo la voz de mi madre que me dice: "Hija mía, ¡qué bien se está aquí!".

—Es tu imaginación. También la imaginación habla. La mía a veces habla tanto que tengo que decirle que se calle.

—Ahora parece que llora... poco a poco se pierde la voz.

—Ya te quitaré yo de la cabeza esas tonterías —dijo el ciego

sendero camino estrecho para el paso de personas y animales
grieta agujero alargado en la tierra u otra superficie
regazo cuando estamos sentados, parte que va desde la cintura hasta la rodilla

tomándole la mano—. Vamos a vivir juntos toda la vida. Juro por Dios que tú y yo no nos separaremos jamás. Yo tendré ojos para mirar tu hermosura y entonces me casaré contigo. Serás mi esposa..., serás la vida de mi vida. ¿No dices nada?

Nela abrazó la cabeza de su amigo, quiso hablar pero no pudo.

—Y si Dios no quiere darme la vista, también serás mi mujer, excepto si no quieres casarte con un ciego.

—Te quiero mucho, muchísimo. Pero no tengas prisa por verme. A lo mejor no soy tan guapa como tú crees.

Sacó Nela un espejito roto de su bolso y al mirarse se puso a llorar.

—Nela, me ha caído una gota en la frente, ¿llueve?

—Sí, llueve —dijo Nela sollozando.

—No, estás llorando. Tus lágrimas me responden claramente. ¿Verdad que me querrás mucho tanto si veo como si no veo?

—Te querré igual. Y te acompañaré siempre.

—Si puedo escoger entre no ver y perderte prefiero no ver con los ojos tu hermosura porque la veo dentro de mí. Estás aquí dentro y tu persona me seduce y me enamora.

—Sí, sí —afirmó Nela en un ataque de locura—; yo soy hermosa, soy muy hermosa.

—Tengo el presentimiento de que te veré y seremos my felices.

—Yo... el corazón me dice que verás, pero se me parte cuando me lo dice.

—Empiezo a tener sueño, no he dormido bien...

—Duérmete aquí —dijo ella besándole en la frente.

Empezó Nela a cantar y poco después Pablo dormía. La Nela volvió a oír la voz de la Trascava diciéndole: "Hija mía..., aquí, aquí".

ACTIVIDADES

Gramática y vocabulario

1 Completa las frases con los marcadores temporales:

la semana pasada • cuando • luego • esta tarde • al día siguiente • ayer • enseguida • pronto • después • mientras • ahora

1 La Nela no fue ________porque se había puesto las florecillas en el pelo y quería mirarse en el agua del estanque.
2 ________el doctor le dijo a mi padre: "lo intentaré".
3 ________ se soltó de los brazos de Pablo fue a mirarse al agua otra vez.
4 Vamos Pablo, volvamos a casa, ________ será hora de comer.
5 Comerás conmigo y ________ saldremos de nuevo.
6 "Te estamos esperando, hijo", dijo don Francisco a su hijo ________ le presentaba al doctor.
7 ________ Pablo y su guía salieron de la casa a la hora de siempre.
8 Ya viste aquellos caballeros que me esperaban ________.
9 Vamos a la Trascava, ________ bajaremos al Barco y a la Terrible.
10 ________estaban todas secas, pero han vuelto a nacer y ________está muy bonito.

2 Subraya el cuantificador que corresponda:

1 Ninguno / Todos dicen que ninguna hermosura iguala a la del mar
2 La Nela no estaba muy atenta a estas cosas, había cogido un montón / todo de flores
3 Ya sabes tú que algunas / cada personas dicen muchas tonterías.
4 Todos / cada uno entraron excepto Marianela.
5 Me preguntó varias / alguna cosas y me contó otras muy divertidas.
6 También decían ninguna / algunas cosas en voz baja.
7 Tonto, de aquí a la entrada de la cueva hay algún / mucho camino.
8 Cada / todos día tiene un encanto especial.

DELE - Comprensión auditiva

▶ 5 **3 Escucha el siguiente fragmento del capítulo 4 y marca (✓) la respuesta correcta:**

1 Golfín dice que él:
a ☐ es modesto
b ☐ fue mendigo
c ☐ no es vanidoso

2 Antes de ser médico, Golfín trabajó en:
a ☐ una barbería
b ☐ una tienda de alimentación
c ☐ las dos

3 El hermano de Teodoro Golfín vivió con:
a ☐ un ayuda de cámara
b ☐ unos vendedores de ropa vieja
c ☐ un contable

4 Carlos Golfín aprendió las matemáticas gracias a...
a ☐ un vendedor de ropa vieja
b ☐ un profesor de la Facultad
c ☐ un coronel retirado

5 El hermano de Golfín...
a ☐ cogió una pulmonía al salir del teatro
b ☐ se divertía mucho yendo por las noches al teatro
c ☐ se fue a vivir a la montaña

6 Teodoro Golfín se fue a América cuando...
a ☐ su hermano se fue a la escuela de minas
b ☐ su hermano empezó a trabajar
c ☐ cuando se hermano se casó

Capítulo cuarto

Historia de dos hijos del pueblo

Teodoro Golfín no se aburría en Socartes. Visitó el laboratorio con su hermano, recorrió las minas y se sorprendió de la grandeza de las fuerzas naturales y del poder y energía de los hombres. Por las noches se entretenía* oyendo tocar el piano a su cuñada Sofía.

Ambos hermanos se querían mucho. Habían nacido en la clase humilde y habían luchado solos desde pequeños para salir de la ignorancia y de la pobreza. Varias veces estuvieron a punto de no conseguirlo, pero siempre les ayudó su gran voluntad.

Teodoro, que era el mayor, fue médico antes que Carlos ingeniero. Ayudó a éste con todas sus fuerzas mientras lo necesitó y, cuando lo vio encaminado*, se fue a América. Allá trabajó junto a otros famosos médicos europeos. De vez en cuando regresaba a España, visitaba Europa, estudiaba los nuevos avances en oftalmología* y volvía al Nuevo Mundo*.

—Nosotros, decía Teodoro—, aunque procedemos de las hierbas del campo, nos hemos hecho árboles fuertes... ¡Viva el trabajo y la iniciativa del hombre!

En la época de esta historia venía de América por la vía de New York-Liverpool. Decía que volvía definitivamente, pero no le creían.

entretenerse divertirse, pasar el tiempo con alguna actividad
estar encaminado encontrar lo que quieres hacer en la vida, orientarse hacia un interés
oftalmología parte de la medicina que estudia las enfermedades de los ojos
Nuevo Mundo América

Su hermano Carlos era un buen hombre, muy pacífico, estudioso y apasionado de los minerales y los metales. Su esposa, Sofía, era una excelente señora cuya belleza se veía reducida por una triste tendencia a la obesidad. Había tenido varios hijos, pero habían muerto y su ocupación principal era tocar el piano y organizar actos benéficos. Otra de sus pasiones era la de rodearse de perros y gatos. En Socartes tenía un perrito toy terrier que se llamaba Lily.

Los días buenos, los Golfines salían a pasear y merendaban en el campo. Una tarde volvían del paseo e iban por un sendero tan estrecho que tenían que caminar de uno en uno*. Pasaban cerca de la Trascava cuando Lily se desvió del sendero y se puso a correr cuesta abajo hacia el embudo. Primero corría, pero después resbalaba* por el césped. Sofía dio un grito de terror y quiso correr detrás del animal, pero su esposo le dijo:

—No se puede bajar por aquí, es muy resbaladizo. Lily volverá.

Pero Lily seguía bajando; a veces miraba a su ama y con sus expresivos ojuelos negros parecía decirle: "Señora, no sea tan tonta".

Lily se paró en la boca del abismo*. Miraron todos hacia ese punto y descubrieron que se movía un objeto y pronto se dieron cuenta de que era la Nela.

—Nela... ¿qué haces aquí? Coge a Lily y tráemelo —gritó Sofía.

Nela empezó a perseguir al perro, que, como era muy travieso, se escapaba todo el tiempo de sus manos. Al final se quedó atrapado entre unos arbustos que cubrían la entrada de la cueva. Nela fue muy valiente, puso un pie en los arbustos y se sujetó con una mano en las rocas; con la otra mano cogió a Lily y, seguidamente, lo subió al lugar donde estaban los demás.

—Tú tienes la culpa, ya sabes que Lily te sigue siempre —le

de uno en uno no todos a la vez, uno después del otro
resbalar perder el equilibrio sobre una superficie muy lisa o deslizante.
abismo profundidad grande en el mar, en una cavidad en la tierra...

dijo Sofía con mal humor—. Toma llévalo en brazos porque estará cansado.

Así que todos se pusieron en marcha otra vez. Teodoro Golfín no había dicho nada durante toda la aventura del perro, pero cuando llegaron a la gran pradera*, donde podían caminar uno al lado del otro, el doctor le dijo a la mujer de su hermano:

—Te preocupas demasiado por ese animal. Me pregunto por qué has pasado tu tiempo haciéndole un jersey y no se te ha ocurrido comprarle unos zapatos a la Nela.

—¡Zapatos a la Nela! —exclamó Sofía riendo—, ¿para qué los quiere?... los rompería enseguida. No podrás acusarme de no ser caritativa*, ¡eso no te lo permito!

—Sí, ya sabemos que has hecho grandes obras de caridad. No me cuentes otra vez lo de las funciones teatrales, bailes y corridas de toros organizadas para recaudar dinero para los pobres. Al final había que pagar tantos gastos de organización que solo quedaba un poco de dinero para ayudar a los necesitados. Eso solo me demuestra la manera tan especial de hacer caridad que tiene esta sociedad.

—Pobre Nela —dijo Carlos Golfín—, es difícil creer que tiene 16 años.

—Sí, está atrasada —dijo Sofía—, ¿cómo permite Dios que vivan personas así? ¿qué podemos hacer por ella? Solo darle de comer, vestirla... pero rompe toda la ropa que le dan. No puede trabajar porque no tiene fuerzas para nada. Se pasa el día saltando, jugando y cantando como los pájaros.

—Yo la he observado —dijo Carlos— y es inteligente. Nadie le ha enseñado nada, pero podría aprender mejor que la mayoría de los chicos. Pero, como no ha aprendido nada y además tiene imaginación, es sentimental y supersticiosa.

pradera lugar en el campo llano y con hierba

caritativo/caridad ayudar a los necesitados mediante limosnas

—El problema de los huérfanos*, como muchos otros problemas sociales es difícil de resolver. Pero hay una solución, no os riáis, si todos los padres que no tienen hijos llevan a un huérfano a vivir con ellos —dijo Teodoro.

—Con tu sistema, ¿nosotros deberíamos adoptar a la Nela? —contestó Sofía.

—¿Por qué no? Así no te gastarías tu dinero en un perro.

—Los solteros ricos deberían hacer lo mismo —replicó Sofía.

—Estoy de acuerdo —añadió el doctor mirando al suelo—. ¿Pero qué es esto?... ¡Sangre!

—Sí, es la Nela, ¡se ha hecho daño en los pies! —exclamó Sofía.

—Claro, se lo debió de hacer al meterse en los arbustos.

Nela se acercó cojeando* y con el pie derecho sucio de sangre.

—A ver qué es eso —dijo Teodoro mientras cogía a Nela en brazos y la sentaba en una piedra—. Tienes una espina* dentro... ¡ya está! ¡qué valiente eres!

En un momento le había sacado la espina y le estaba vendando el pie con su pañuelo. Después la sentó en su hombro y la llevó así.

▶ 5 —¿Ves querida Sofía? —dijo Teodoro— soy un hombre que sabe hacer muchas cosas. Este es el resultado de nuestra educación, ¿verdad Carlos? Ya sabes que nos formamos solos, que no tuvimos ayuda ni protección de nadie. Pero conseguimos triunfar en la lucha por la existencia... Yo no soy modesto* y tengo algunas vanidades, por ejemplo la de haber sido mendigo, haber pedido en la puerta de una iglesia, haber andado descalzo con mi hermano, haber dormido en los portales* de las casas sin protección ni familia. Un buen día comprendí que delante de nosotros había dos caminos que podíamos

huérfano que ha perdido a sus padres
cojear caminar mal por no poder usar bien los dos pies
espina púa afilada que tienen algunas plantas
modesto ser humilde, no ser vanidoso
portal la puerta de la calle por la que se accede a los edificios de vecinos

coger: el de la cárcel o el del éxito. Aprendí a leer y enseñé a leer a mi hermano; trabajé para varios amos que me daban de comer y me dejaban ir a la escuela. Me guardaba las propinas* para comprar libros. Entré en un colegio mientras mi hermano trabajaba en una tienda de alimentación. En el colegio me dieron buenos consejos y algunas limosnas, y empecé a interesarme por la medicina. Mi problema era cómo estudiar medicina si tenía que trabajar para comer. ¿Te acuerdas Carlos, de cuando fuimos a pedir trabajo a una barbería? Nunca habíamos afeitado a nadie... pero era necesario aprender. Al principio ayudábamos, poco a poco aprendimos y yo empecé los estudios anatómicos. Tenía tanto trabajo estudiando medicina que al final tuve que dejar la barbería. El barbero y su mujer lloraron cuando me marché. Entré a trabajar como ayuda de cámara. Dios me ayudaba dándome siempre amos buenos. Mis amos estaban muy contentos por mis ganas de estudiar y me dejaban libre mucho tiempo. Yo estudiaba mientras trabajaba, mientras dormía... y mi amo me daba sobras* de comida para mi hermano. Él vivía con unos vendedores de ropa vieja muy dignos, ¿te acuerdas Carlos?

—Me acuerdo —contestó emocionado—. Me dejaban vivir allí y yo a cambio les llevaba la contabilidad. Luego tuve la suerte de conocer a aquel coronel retirado que me enseñó las matemáticas.

—Un día llevé a mi hermano al teatro gracias a las entradas que me había regalado mi amo. Nos divertimos mucho pero Carlos cogió una pulmonía, ¡qué problema tan grande, terrible! Pero seguimos adelante... un profesor de la Facultad* le curó.

—¡Salvarme fue un milagro! —recordó Carlos.

—Dios nos protegía, estaba claro. Cuando se curó el medicó le aconsejó ir al campo. Así que yo pensé que podía ir a la Escuela de

propina dinero que se da a alguien como agradecimiento por un servicio prestado

sobras restos de la comida que quedan cuando se termina de comer

Facultad en la Universidad, cada una de las divisiones que se ocupan de una enseñanza

minas, que estaba en el campo. A mi hermano le gustaban mucho las matemáticas, la química y las piedras. Yo cada día era más médico. Un famoso cirujano me tomó como ayudante y dejé de trabajar como criado*. Mi amo se puso enfermo, lo asistí, pero murió y me dejó una herencia: cuatro mil reales en dinero, ¡una fortuna! Compré libros para mi hermano y ropa; y cuando me vestí bien empecé a tener pacientes y a trabajar como médico. Pasaron años y años y a mi hermano y a mí nos iba bien..., ya no estábamos tristes. Empecé a estudiar los ojos y un buen día mi hermano terminó la Escuela. Cuando él empezó a trabajar y a ganar dinero, yo me marché a América.

—Si en el mundo hay héroes, tú eres uno —afirmó Carlos.

—Pues ya se puede preparar, señor semidiós, a hacer un milagro: dar la vista a un ciego de nacimiento... allí está don Francisco.

—¡Supongo que tomarán todos un vaso de leche recién ordeñada*!

—¿Dónde está Pablo? —preguntó don Carlos.

—Está en el huerto —contestó don Francisco Penáguilas—. Nela, ve con él.

—No, no quiero que camine todavía —replicó el doctor—, además tomará leche.

—¿No quiere ver usted a mi hijo esta tarde doctor?

—Con el examen de ayer me basta, puedo hacer la operación. Pero no puedo decir si tendré éxito o no. Su hijo es inteligente y tiene una gran fantasía, pero desconoce el mundo visible. Le traeremos al mundo de la realidad y entonces sus ideas serán exactas, podrá apreciar el verdadero valor de todas las cosas.

—Eso es admirable —dijo don Francisco—. Tengo algunas preocupaciones desde hace unos días. Mi hijo está muy exaltado, supongo que es por la esperanza que le hemos dado... pero hay más. Yo suelo leerle libros y él desarrolla muchas ideas llenas de errores,

criado persona que trabaja para otra, especialmente en las tareas de la casa.

ordeñar extraer la leche de la vaca u otros animales.

seguramente debido a su desconocimiento del mundo visible. Afirma cosas muy absurdas y no puedo contradecirle*. Cuando se obsesiona con algo no hay quien se lo quite de la cabeza, ahora no para de decir que la Nela es bonita.

Se oyeron risas y Nela se puso roja.

—¡La Nela bonita! —exclamó don Teodoro—, pues es verdad.

Don Francisco mandó a Nela dentro y ella se fue cojeando.

—Cuando le contradigo me dice que quizás la vista altere mi percepción, ¡qué tontería!

—Hay que intentar que esté tranquilo antes de la operación.

—Si usted consigue que mi hijo vea, será para mí el mejor hombre del mundo. La oscuridad de sus ojos es la oscuridad de mi vida. ¿De qué me sirve ser rico si mi hijo no puede ver?

Después de estas palabras se quedó en silencio un momento y luego continuó:

—Cuando yo me muera, ¿qué familia le quedará? ¿cómo se casará si es ciego? Así que el doctor me ha dado esperanza, me ha dado la esperanza de una esposa y una familia para mi hijo. Mi hermano Manuel, me ha hecho una propuesta: "si Pablo ve, casaré a mi hija Florentina con él. Mi hermano está muy contento con esta idea; él y su hija van a venir a pasar unos días con nosotros. Llegarán de un momento a otro*.

Se quedaron todos en silencio muy impresionados.

—Bueno —dijo Teodoro—, yo no puedo prometer la curación. No lo sabremos hasta que no opere el ojo. Debemos tener paciencia. Pero también hay que tener valor. Hay una posibilidad de que, después de la operación, su hijo se quede tan ciego como antes.

—Le repito: "¡Adelante! Haga esa operación.

—Muy bien entonces —y ahora vámonos que ya está oscuro.

contradecir decir lo contrario de lo que otra persona afirma
de un momento a otro en cualquier momento

Gramática y vocabulario

1 Seis de las siguientes frases son incorrectas; encuéntralas y corrígelas:

1 ☐ Sofía se preocupaba más por las fiestas de beneficencia que por ayudar a los pobres.

____

2 ☐ Carlos consideraba a Teodoro el mayor hermano del mundo.

____

3 ☐ Nela podría aprender mejor de la mayoría de los chicos.

____

4 ☐ Nela está menos desarrollada físicamente que las chicas de su edad.

____

5 ☐ Marianela podría aprender tan como cualquier otra persona.

____

6 ☐ El problema de los huérfanos es el más dificilísimo de resolver.

____

7 ☐ Teodoro era el más bueno de los hermanos.

____

8 ☐ Usted será para mí el mejor doctor entre el mundo.

____

2 Encuentra en la sopa de letras a que palabras corresponden estas definiciones:

1 ser humilde, no ser vanidoso
2 que ha perdido a sus padres
3 nuevo mundo
4 extraer la leche de la vaca
5 lugar en el campo llano y con hierba
6 parte de la medicina que estudia los ojos
7 divertirse, pasar el rato
8 púa afilada de algunas plantas
9 decir lo contrario de lo que otro afirma

O T S E D O M O
V S X N A D H F
E R B T V S U T
C P D R C S E A
O R D E Ñ A R L
N A Q T R M F M
T D W E G É A O
R O E N H R N L
A T R E J I O O
D Y R R K C P G
E U T S L A O I
C O Y E P S Q A
I P U D U D W Z
R Q A N I P S E

Comprensión lectora

3 Une estas preguntas sobre el texto con la respuesta adecuada:

1 ☐ ¿Quién era el mayor de los hermanos Golfín?
2 ☐ ¿Quién estuvo a punto de caer en la Trascava y fue salvado por Nela?
3 ☐ ¿Qué reprochó Teodoro Golfín a su cuñada?
4 ☐ ¿Qué le sucedió a Nela en un pie?
5 ☐ ¿Dónde trabajaba el doctor cuando empezó a estudiar medicina?
6 ☐ ¿Qué servicio hacia Carlos Golfín a los vendedores de ropa a cambio de vivir con ellos?
7 ☐ ¿A dónde se marchó Teodoro Golfín cuando su hermano

a Que se preocupaba mucho por el perro y poco por Nela, que era una persona
b Teodoro
c Les llevaba la contabilidad
d A América
e El perro de doña Sofía, Lily
f Se clavó una espina
g En una barbería

Capítulo quinto

Historia de Celipín y las visiones de Nela

Todos dormían en casa de los Centenos. Pero, de repente, se oyó en la cocina un ruido. Las cestas se abrieron y Celipín oyó:

—Celipín, esta noche traigo un buen regalo, mira...

Aunque no veía nada, Celipín alargó la mano y Nela le dio una moneda de dos duros*.

—Me los dio don Teodoro para unos zapatos. Pero yo no necesito zapatos. Pronto tendrás reunido todo el dinero que necesitas.

—¡Eres muy buena Marianela! Ya me falta poco.

—Mira Celipín, don Teodoro cuando era niño iba por las calles pidiendo limosna, y después...

—¿De verdad? ¡Quién lo iba a decir! ¡Y ahora tiene dinero!

—De niño dormía en las calles y servía de criado. Luego tuvo que ser barbero para ganarse la vida* y poder estudiar.

—Yo también iré directamente a una barbería... yo puedo cortar el pelo solo. ¡Soy muy listo!, cuando llegue a Madrid me pondré a cortar el pelo y a estudiar. ¡Seguro que en dos meses he aprendido ya todo!. Yo también quiero ser médico... los médicos ganan dinero.

—Don Teodoro tenía menos que tú —dijo Nela— porque tú vas a tener cinco duros. Don Teodoro y don Carlos estaban solos en el

duro cinco pesetas

ganarse la vida trabajar o buscar la manera de mantenerse

mundo y consiguieron volverse sabios. Eran pobres, por eso don Teodoro es tan amigo de los pobres.

—¡Yo también voy a ser fino* y educado! Yo también me vestiré bien, llevaré guantes y tendré un bastón*...

—No pienses todavía en esas cosas, empieza poquito a poquito: hoy aprendo una cosa, mañana otra. Primero tienes que aprender a escribir para poder escribir una carta a tu madre. Tendrás que pedirle perdón por haberte marchado de casa.

—Ya sé que la escritura es lo primero. Aprenderé a escribir enseguida, ¡verás qué cartas escribo! ¡verás qué pensamientos tan profundos escribo! Yo tengo mucho talento Nela, lo sé.

—Muy bien, pero tienes que ser buen hijo y portarte bien con tus padres. Ellos no te quieren enseñar porque son ignorantes. Cuando ganes dinero, mándales un poco.

—Sí. Aunque me voy de casa, yo quiero a mis padres. Les mandaré muchos regalos a todos. A ti también Marianela.

Nela se echó a reír.

—¿Sabes una cosa Nela? Creo que deberías venir conmigo, así nos ayudaríamos a ganar y aprender. Tú también tienes talento y podrías ser una señora.

—No seas tonto. Yo no sirvo para nada. Sólo sería un estorbo.

—Cuando don Pablo pueda ver, ya no te va a necesitar. No tienes nada que hacer en Socartes. ¿Qué te parece mi idea?

Nela no contestaba y Celipín preguntó de nuevo.

—Duérmete Celipín —dijo finalmente—, tengo mucho sueño.

Y se durmió Celipín mientras se imaginaba a sí mismo como un gran médico, vestido con ropa carísima.

Nela se metió en sus cestas para tener más intimidad*. Vamos a entrar

fino (aquí) de buena educación, de excelentes modales.
bastón palo que sirve para apoyarse y caminar mejor

intimidad parte personal y reservada de cada persona, la vida interior

en su pensamiento. Pero antes, veamos un poco de historia.

Marianela no había tenido ningún tipo de educación ni de afecto. Por este motivo, su imaginación era poderosa y tenía un modo muy raro de entender las cosas. Teodoro Golfín comparaba el espíritu de Nela con los pueblos primitivos y tenía razón. La dominaba el sentimiento de lo maravilloso, creía en poderes sobrenaturales* (y no en un único Dios) y pensaba que la naturaleza podía comunicarse con los hombres.

A pesar de esto, Nela conocía la religión. Se había acostumbrado a respetar a Cristo, conocía algunas oraciones, sabía que hay que pedir los deseos a Dios... pero no sabía nada más. Nela se había hecho una filosofía propia. Tenemos que decir que Nela demostraba casi siempre tener un buen sentido común*.

La principal tendencia de su espíritu era la de amar con pasión la belleza física. Esto es normal porque Nela se crió en plena naturaleza, que está llena de cosas bellas, de luz y de colores. Pero Marianela había personificado toda su admiración por las cosas bellas en la figura de la Virgen María. La hermosa cara de las figuras de la Virgen le gustaba mucho. Representaba para ella todas las cosas buenas del mundo.

En cambio no le gustaba nada la persona de Dios. Se lo imaginaba terrible y enfadado. Todo lo bueno venía de la Virgen. Dios castigaba y ella perdonaba. Esta es una idea habitual entre las clases pobres y rurales de nuestro país. También es normal la fusión* que hacía Nela entre las bellezas de la naturaleza y la figura de la Virgen.

Así era Nela cuando tenía 15 años y conoció a Pablo. Sus charlas

sobrenatural que va más allá de la naturaleza; a veces, fantasía
sentido común modo de pensar racional y sensato
fusión unión

con él le hicieron cambiar un poco su manera de pensar, pero la base de sus ideas no cambió. Mientras estaba encerrada en sus cestas aquella noche, rezó: "Madre de Dios y mía, ¿por qué no me hiciste hermosa? Cuanto más me miro, más fea me veo. ¿Para qué estoy en este mundo? ¿Para qué sirvo? ¿a quién puedo interesar? Solo le intereso a Pablo, que me quiere porque no me ve. ¿Qué será de mi cuando me vea y deje de quererme? Cuando me vea me voy a morir; él es el único que no me considera tan importante como un gato o un perro. Señora mía, si vas a hacer el milagro* de darle la vista ¿por qué no me haces hermosa a mi? Yo quiero que don Teodoro haga el milagro, yo quiero que Pablo vea... ¡lo que no quiero es que me vea a mí! Yo no debí haber nacido. Mi corazón es todo para él. ¡Ay madre mía! solo le tengo a él y me lo vas a quitar. ¿Por qué has permitido que nos queramos?".

Y llorando añadió, medio dormida: "¡Cuánto te quiero Pablo!, quiéreme mucho..., pero no abras lo ojos, no me mires...".

Cuando se despertó a la mañana siguiente, Nela rezó su oración a la Virgen y le dijo algunas cosas muy curiosas: "Anoche te me apareciste en sueños y me prometiste que hoy me ayudarías". Nela se sentía extraña aquella mañana, aunque no sabía bien porqué. "A lo mejor la Virgen ha venido a ayudarme como me prometió", pensaba la pobre niña. Cuando fue a lavarse la cara, se miró esperanzada*: "Nada —murmuró con tristeza—, sigo siendo tan fea como siempre".

Después de lavarse tuvo otra vez las mismas sensaciones de antes, pensó que podían ser presentimientos.

"Pablo y yo hemos hablado de lo que se siente cuando va a pasar

milagro hecho sobrenatural que se atribuye a una intervención divina

esperanzado que tiene esperanza, que confía en que se cumplan sus deseos

una cosa alegre o triste —pensó—. No sé qué, pero algo va a pasar. Seguro que es una cosa buena porque la Virgen prometió ayudarme.

Mientras pensaba estas cosas caminaba y miraba con miedo hacia todas partes. Se paró un momento, miró al cielo y se preguntó: "¿Pero yo estoy alegre o triste?". Decidió que el cielo estaba igual que todos los días y se dio prisa para llegar pronto a Aldeacorba. Así caminaba, distraída en su pensamientos y sensaciones; de repente, cuando pasaba junto a un bosque, sintió que algo se movía a su derecha. ¡Allí estaba! en medio de la vegetación estaba la Virgen María. Nela se quedó muda, de piedra*, asustada. No podía ni gritar, ni moverse, ni quitar sus ojos de la aparición. Era la perfección de la belleza humana. Sus ojos eran serenos, dulces, armoniosos*. Sus labios sonreían y dejaban ver unos dientes perfectos.

Después del primer momento de sorpresa, Marianela observó que la Virgen llevaba una corbata* azul. Esto le pareció muy extraño ya que no lo había visto en ninguna imagen de la Virgen. También notó que llevaba un vestido muy parecido a los que llevaban las mujeres modernas. Pero lo más extraño para Nela fue que la imagen estaba cogiendo moras* y comiéndoselas.

De repente oyó una voz que decía:

—¡Florentina! ¡Florentina!

Nela vio acercarse a un hombre mayor, algo gordito y con cara de estar satisfecho. Era don Manuel Penáguilas, el hermano de don Francisco.

—Vamos, las personas decentes no comen moras silvestres ni dan

quedarse de piedra quedarse muy sorprendido
armonioso sonoro y agradable al oído
corbata tira de tela que se anuda alrededor del cuello
mora fruto del bosque

esos saltos. ¿Ves? Te has estropeado el vestido. Yo te compraré otro, pero si te ve la gente ahora pensarán que no tienes más vestidos.

La Nela, que comenzaba a ver claro, observó los vestidos de la señorita de Penáguilas. Eran buenos y ricos, pero se notaba que hacía poco tiempo que tenía dinero. Toda su ropa era de pueblerina* rica.

Don Manuel vio a Nela y dirigiéndose a ella gritó:

—¡Oh!..., ¿aquí estás tú?... Mira, Florentina, ésta es Nela, ¿recuerdas que te hablé de ella? ¿Qué tal Nela?

—Bien, señor don Manuel. ¿Y usted cómo está? —contestó Marianela mientras miraba a Florentina.

—Yo muy bien. Ésta es mi hija, ¿qué te parece?

Florentina corría detrás de una mariposa.

—Hija mía, ¿adónde vas?, ¿qué es eso? ¿te parece bien correr detrás de un insecto como los niños vagabundos*? Las señoritas criadas en la buena sociedad no hacen eso.

—No se enfade usted papá. Ya sabe que me gusta mucho el campo. Me vuelvo loca cuando veo árboles, flores y praderas. En Campó, donde nosotros vivimos, no hay nada de esto...

—No hables mal de Campó. Hay allí muchas comodidades y una buena sociedad. Además han llegado los adelantos de la civilización. Andando tranquilamente a mi lado también puedes observar la naturaleza. Venga, vamos... La Nela nos enseñará el camino a casa.

—Está muy cerca —dijo Nela—, pero aquí viene el señor don Francisco.

—A casa, a casa. ¡Hay chocolate caliente! Ven tú también, Nela, para tomar chocolate —dijo don Francisco poniendo su mano sobre la cabeza de la vagabunda—. ¿Qué te parece mi sobrina?... Es guapa,

pueblerino aldeano, de un pueblo pequeño, con poca cultura y educación poco refinada

vagabundo que no tiene casa ni trabajo y va de un sitio a otro

¿verdad? Florentina, después de tomar el chocolate, Nela os llevará de paseo a Pablo y a ti. Así verás todas las hermosuras del país.

Al llegar a la casa les esperaba un suculento* chocolate con pastas y otras golosinas*. Florentina ofreció amablemente chocolate a Nela. Cuando acabaron de comer, don Francisco dijo:

— Hoy es el último día que don Teodoro deja salir a Pablo. Podéis ir los tres a dar un paseo... pájaros ¡a volar!

suculento muy sabroso y nutritivo

golosina comida, generalmente dulce

ACTIVIDADES

Gramática y vocabulario

1 **Vuelve a escribir la parte en negrita de estas frases mediante las siguientes perífrasis de probabilidad: deber de + infinitivo / tener que + infinitivo**

1 Se oyó un ruido en casa de los Centeno, **probablemente eran Nela y Celipín hablando.**
(deber de)______________________________________

2 "**Seguro que el doctor Teodoro Golfín tiene mucho dinero**".
(deber de)______________________________________

3 "**Estoy segura de que te falta poco dinero** para poder marcharte", dijo Nela a Celipín.
(tener)______________________________________

4 **Me imagino que Nela tiene miedo de que Pablo la vea.**
(deber de)______________________________________

5 Cuando vio a Florentina Nela pensó "**Seguramente es la Virgen María**".
(tener)______________________________________

6 Nela tuvo unas sensaciones extrañas y pensó "**Posiblemente son presentimientos**".
(deber de)______________________________________

7 Florentina le dijo a Nela: "**Supongo que tienes hambre**, ¡vamos a comer chocolate!".
(deber de)______________________________________

8 "Nela nos indicará el camino a casa, **seguro que está muy cerca**", dijo el padre de Florentina.
(tener)______________________________________

2 **Completa con la preposición más adecuada "para" o "por":**

1 El doctor Golfín tuvo que ser barbero ______ ganarse la vida y poder estudiar.

2 Tendrás que pedirle perdón _______ haberte marchado de casa.
3 Primero tienes que aprender a escribir _______ poder escribir una carta a tu madre.
4 Nela no había tenido educación, _______ este motivo, su imaginación era poderosa.
5 Cuanto más me miro, más fea me veo. ¿_______ qué estoy en este mundo?
6 Solo le tengo a él y me lo vas a quitar. ¿_______ qué has permitido que nos queramos?
7 Ven tú también, Nela, _______ tomar chocolate.
8 Nela os llevará de paseo a Pablo y a ti _______ los lugares más hermosos de esta zona.

ACTIVIDAD DE PRE LECTURA

▶ 6 **3 Escucha el fragmento perteneciente al capítulo 6 y di si las siguientes afirmaciones son verdaderas (V) o falsas (F):**

		V	F
1	Cuando acabó de operar a Pablo, el doctor dijo que todo había salido bien.	☐	☐
2	Nela se debatía entre la simpatía y la antipatía que sentía por Florentina.	☐	☐
3	Florentina fue a casa de los Centeno para llevarse a Nela.	☐	☐
4	A Nela le hizo mucha ilusión irse a vivir con Florentina.	☐	☐
5	Pablo quería ver a Nela y preguntaba por ella.	☐	☐
6	Florentina pensó que Nela era una desagradecida por no querer ir con ella.	☐	☐
7	El doctor Golfín no consiguió encontrar a Nela.	☐	☐
8	Nela se marchó con Celipín y dejó Socartes para siempre.	☐	☐

Capítulo sexto

Nela: meditabunda y fugitiva*

Florentina estaba muy contenta en medio de los prados; su padre se había quedado en casa, así que ella podía saltarse las reglas* sociales y correr y saltar alegremente.

—Primo, ¿tú y Nela paseáis mucho por aquí? Esto es precioso, yo viviría aquí toda mi vida. ¡Dentro de poco tú también vas a poder disfrutar de todo esto!

—¡Ojalá! Yo no conozco estas bellezas, pero las siento dentro de mí de una manera muy intensa.

—Eso es admirable... ya verás, cuando abras los ojos te vas a llevar algunas desilusiones.

—Puede ser— dijo el ciego.

Y Nela también estaba muda*. Cuando se acercaron a la Terrible, Florentina admiró el espectáculo y propuso sentarse todos allí un rato. Se entretuvo imaginando figuras con las formas de las rocas: una guitarra, un perro, una cafetera...

—Todo eso que dices prima— observó el ciego—, me demuestra que con los ojos se ven muchas tonterías.

—Tienes razón, primo. Por eso yo digo que es nuestra imaginación la que ve, no nuestros ojos.

meditabundo pensativo
saltarse las reglas no obedecer a las imposiciones sociales
mudo que no puede hablar

Mientras decía esto, tocaba el vestido de Nela y de repente dijo:

—¿Por qué Nela no tiene un traje mejor?. Yo tengo varios, le voy a dar uno. Y otro más, que será nuevo.

Nela se sentía avergonzada y confusa y no levantaba los ojos.

—No comprendo que algunos tengan tanto y otros tan poco. Me enfado cuando oigo a mi padre hablar mal de quienes quieren que se reparta por igual todo lo que hay en el mundo.

—Serán los socialistas y los comunistas— dijo Pablo riendo.

—Pues esa es mi gente. Soy partidaria* de que se reparta todo. Que los ricos den a los pobres todo lo que tengan de sobras. Yo sé que Nela es muy buena. No tiene familia, no tiene quien la cuide... ¿Cómo podemos permitir tanta desgracia?

Marianela estaba atónita* y petrificada de asombro. Ahora le parecía estar escuchando a la Virgen María.

—Yo quiero ayudar a Nela como se ayuda a un hermano. Pablo, tú dices que ha sido tú mejor compañera, ¿verdad? Pues Nela me pertenece, yo me ocuparé de ella: la vestiré, le daré todo lo que necesite para vivir... Vivirá conmigo y aprenderá a leer, a rezar, a coser, a cocinar; aprenderá tantas cosas que será como yo misma. Se convertirá en una señorita. Y mi padre no podrá decirme que no en esto. Además anoche me dijo: "Florentina, quizá, dentro de poco, yo no mandaré en ti; obedecerás a otro dueño...". Pase lo que pase* Nela será mi amiga, ¿me querrás mucho? Como has estado tan abandonada, tal vez no sepas agradecer, pero yo te enseñaré.

Marianela había estado resistiendo las ganas de llorar, pero al final no pudo más. El ciego estaba pensativo y silencioso.

—Florentina, no hablas como la mayoría de las personas —dijo al fin—, eres muy buena.

partidario que está a favor, de parte, de alguna cosa
atónito sin palabras, espantado ante algo raro o extraordinario
pase lo que pase no importa lo que pase, lo que suceda

—¡Qué exageración! —dijo Florentina, y se alejó saltando.

—¿Se ha ido? Nela, creo que mi prima debe de ser bonita. Cuando llegó no la soportaba*. Ahora en cambio, pienso que debe de ser bonita.

—¡Es como los ángeles! —dijo Nela llorando. Se parece en cuerpo y alma a la Virgen María.

—¡No exageres! —dijo Pablo inquieto—. No puede ser tan bonita. ¿Crees que yo, sin ojos, no comprendo donde está la hermosura?

—No, no, no, no puedes comprenderlo. Estás muy equivocado.

—... no puede ser tan hermosa —dijo el ciego, poniéndose pálido y muy angustiado—. Nela, amiga de mi corazón, mi padre me dijo anoche que si veo me casaré con Florentina.

Nela no dijo nada, pero no dejaba de llorar. Su dolor era infinito.

—Ya sé por qué lloras— dijo el ciego cogiendo las manos de su compañera—. Mi padre no me puede obligar a hacer lo que no quiero. Tú eres la única mujer en el mundo para mí. Cuando mis ojos vean, si ven, serás para ellos la única hermosura. Todo lo demás serán sombras y cosas lejanas. ¿Cómo se retrata* el alma en las caras? Pueden separarse la forma y la idea? ¿Puedes tú dejar de ser para mí el ser más hermoso y amado de la tierra cuando yo vea?

▶ 6 Pasaron los días y, por fin, llegó uno increíble: Teodoro Golfín entró en los ojos de Pablo para intentar darles la luz. Cuando acabó, no dijo muchas palabras. Solo que había que tener paciencia.

El paciente quedó incomunicado, solo su padre podía verle. Nela iba cuatro o cinco veces a preguntar por él, pero nunca pasaba de la puerta. Normalmente Florentina le daba informes sobre el estado del paciente y paseaba un rato con ella.

soportar aguantar, tolerar

retratar (aquí) reflejarse, dibujarse

—Nela —le dijo un día—, he prometido a la Virgen que si mi primo recupera la vista recogeré al pobre más pobre que encuentre y le daré todo lo necesario. Y no me refiero solo al dinero, le daré la dignidad* y la consideración. Mi pobre serás tú Marianela. Si mi primo ve, tú serás en mi casa como mi hermana.

Es imposible describir los sentimientos de Nela en aquel importante momento de su vida. Un horror instintivo* la alejaba de la casa de Aldeacorba. A veces creía que Florentina era de verdad la Virgen. Pero otras veces la imagen de la señorita de Penáguilas se le aparecía como en una pesadilla. Marianela sabía que no podía aborrecer* a su inesperada hermana; en realidad se sentía impulsada a amarla con todas las energías de su corazón. La antipatía y la desconfianza estaban destinadas a desaparecer al final de la lucha. Pero quedaba la tristeza. En casa de Centeno observaron que Nela no comía, no hablaba, no se movía, no cantaba.

Una mañana, ocho días después de la operación, le dijeron en casa del ingeniero Golfín que Pablo ya veía. La noticia corrió por todo el pueblo y no se hablaba de otra cosa. Nela se quedó más muerta que viva. No se atrevía a ir a la casa de Aldeacorba. En su alma se mezclaban la alegría y la vergüenza de sí misma.

Se sentía más tranquila en soledad; la soledad que había formado su carácter. En la soledad del campo pensaba y decía: "No volveré más a Aldeacorba... ya acabó todo para mí... Ahora, ¿para qué sirvo yo?". Se daba cuenta de que su problema era que no podía aborrecer a nadie. Al contrario, estaba obligada a amar a todos, al amigo y al enemigo. Nela veía como sus celos y su despecho* se convertían en admiración y gratitud. Marianela no sabía utilizar bien el lenguaje, de no ser así habría dicho: "Mi dignidad no me permite aceptar el atroz

dignidad honor, gravedad de las personas en la manera de comportarse
instintivo algo que se hace sin pensar o reflexionar
aborrecer tener rechazo hacia alguien o algo
despecho sentimiento de desesperación que surge tras un desengaño

desaire* que voy a recibir. Si tengo que perder mi lugar, que así sea. Pero no voy a quedarme para ver como otra lo ocupa".

Pero como no sabía hablar así, esto es lo que pensaba: "No volveré a Aldeacorba... Me escaparé con Celipín o me iré con mi madre. Pero, al mismo tiempo, le parecía triste renunciar a la protección de aquella Virgen. ¡Todo lo que siempre había soñado! ¡El amor fraternal, una bonita casa, consideración, nombre, bienestar!

Cuando volvía a casa por la noche encontró a Celipín.

—Nela —le dijo el chico—, ya tengo juntado todo lo que quería. Un día de esta semana nos vamos.

Al cabo de unos días, se levantaron los dos aventureros dispuestos a partir al anochecer. Cada uno empezó el día con sus tareas*, Celipín a su trabajo y Nela fue a hacer un recado* para la señora Centeno. Al volver se encontró en casa a Florentina, la estaba esperando.

—Nela, ¿por qué te comportas así? —dijo con cariño—. ¿Por qué no has venido por casa? Pablo desea verte... ¿no sabes que ya puede ver? Todo el tiempo pregunta por ti... vamos, vamos allí. Don Teodoro va a levantarle hoy la venda* por cuarta vez, tienes que estar allí. ¡Qué alegría la primera vez que le retiró la venda! ¡La primera cara que vio fue la mía!

Marianela soltó de repente la mano de Florentina.

—¿Te has olvidado de mi promesa sagrada? Despídete de esta casa Nela.

Marianela no dijo adiós a nada ni a nadie, puesto que a esa hora no había nadie en casa. Florentina salió de allí llevando de la mano a Nela, que se dejaba llevar. No tenía fuerzas para oponer resistencia.

—Mi tío está emocionado —explicó la joven—, hemos pasado toda la noche haciendo proyectos de familia.

desaire falta de gentileza, humillar a alguien
tarea trabajo que hay que hacer
recado encargo que hay que hacer
venda tira de tela que sirve para cubrir las heridas

Nela miró a la señorita resistiéndose a la mano que la llevaba.

—¿Qué tienes Nela? Te tiembla la mano, ¿estás enferma? Si estás enferma yo misma te curaré. Pablo y yo te queremos mucho, él y yo seremos como uno solo y te cuidaremos. Desea verte. Tiene mucha curiosidad, pero desde el primer momento supo distinguir perfectamente entre las cosas bonitas y las feas. Yo no debí parecerle mal porque cuando me vio dijo: "Ay prima, ¡qué hermosa eres!".

Nela cayó al suelo como un cuerpo que pierde la vida

—Señora —murmuró Nela—, yo no la aborrezco... al contrario, la quiero mucho, la adoro. Pero no puedo... no puedo.

—Ya sé que me quieres, pero me das miedo. ¿Qué es lo que no puedes? Levántate, por favor.

Nela se levantó de un salto y exclamó llorando:

—No puedo ir allá —exclamó señalando la casa de Aldeacorba—. La Virgen sabe porqué, que la Virgen la bendiga* a usted.

Diciendo esto desapareció en el bosque. Florentina se quedó sola en medio del silencio. Estaba paralizada*, muda, tristísima. No sabía qué pensar de aquel suceso ni de su bondad inmensa. Un buen rato después pasó por allí Teodoro Golfín y se sorprendió de verla sola.

—¿Qué te pasa niña? —preguntó el doctor.

—Una cosa terrible. La ingratitud es la peor cosa del mundo. Por allí se ha escapado —dijo señalando las hierbas y arbustos—, no la veo por ninguna parte.

Nela estuvo vagando todo el día. Por la noche fue hacia la Trascava y allí se encontró con Celipín.

—Me voy a aprender y a ganar mucho dinero, te dije que era esta noche. ¿Vienes o no vienes?

bendecir pedir a una divinidad favores para otra persona **paralizado** inmóvil

Se pusieron en camino andando deprisa. Pero, de repente, Nela soltó la mano de su amigo y, sentándose en una piedra, murmuró:

—Yo no voy, ¿para qué? para mí ya es tarde.

Celipín hablaba y hablaba, pero vio que era inútil.

—Yo te dejo y me voy, Nela, porque pueden descubrirme. ¿Quieres que te de dinero?

—No, Celipín... Vete, pórtate bien y no te olvides de Socartes ni de tus padres.

—No me olvidaré de ellos ni de ti que me has ayudado en esto —dijo el viajero sintiendo ganas de llorar—. ¡Adiós!

Y desapareció entre las sombras de la noche. También de entre las sombras apareció el Choto.

—¿Qué quieres Choto?—dijo Nela.

Desde las sombras había alguien que escuchaba la voz de Nela, era don Teodoro, que había pedido a Choto que lo acompañara a buscar a la pobre chica. Pudo ver como Nela avanzaba corriendo hacia el agujero de la Trascava, sombrío y espantoso en la oscuridad. La Nela miraba hacia abajo... de repente empezó a bajar rápidamente. Don Teodoro se abalanzó* hacia el agujero gritando:

—¡Nela, Nela! Sube al momento.

Al poco rato vio la figura de la vagabunda en lo más profundo del terrible embudo. Nela subía despacio, acompañada de Choto.

—Señor...

—¿Qué haces ahí? Sube pronto... tengo que decirte una cosa.

Teodoro no se sintió triunfante* hasta que pudo coger con fuerza la mano de Nela.

abalanzarse lanzarse sobre alguien o algo

triunfante que ha tenido éxito en alguna misión

DELE - Comprensión lectora

1 Elige la respuesta correcta a estas preguntas sobre el texto:

1 Cuando su padre no la veía Florentina...
A ☐ se saltaba algunas reglas sociales y corría y saltaba.
B ☐ obedecía los mandatos de su padre
C ☐ no disfrutaba mucho de su libertad

2 En el último paseo de los jóvenes antes de la operación...
A ☐ Pablo y Nela estaban muy callados
B ☐ Nela estaba muy feliz e ilusionada
C ☐ Los tres muchachos estaban muy silenciosos

3 De repente Florentina dijo que...
A ☐ Nela se vestía fatal
B ☐ que iba a regalar varios trajes a Nela
C ☐ Pablo debería regalar un traje a Nela

4 Marianela pensaba que Florentina...
A ☐ era una entrometida
B ☐ era muy buena
C ☐ no iba a cumplir su promesa

5 Pablo le confesó a Nela que...
A ☐ al principio no soportaba a su prima
B ☐ que quería casarse con Florentina
C ☐ que no le importaba recuperar la vista

6 El padre de Pablo pensaba...
A ☐ casar a Pablo con una chica de su elección
B ☐ casar a Pablo con Nela si recuperaba la vista
C ☐ casar a Pablo con su prima si recuperaba la vista

2 **Completa el siguiente cuadro con la forma necesaria del Infinitivo, Presente Indicativo o Presente Subjuntivo (siempre en la 3ª persona).**

Infinitivo	Presente Indicativo	Presente Subjuntivo
soportar		
retratar		
	recoge	
		ayude
	ríe	
	llora	
aborrecer		
		discuta

ACTIVIDAD DE PRE LECTURA

3 **Elije la opción correcta para completar los siguientes titulares de periódico, ponlos en el orden correcto y descubrirás qué va a pasar en los siguientes tratados:**

A ☐ Muchacha de buena familia acoge/recoge a vagabunda enferma.

B ☐ El doctor Golfín lleva a una extenuada y enferma Marianela a casa de los Penáguilas, como Florentina le había pedido/pide.

C ☐ **La mendiga Marianela reconoce ante el doctor Golfín que se avergüenza/avergüence de su aspecto y no quiere que Pablo la vea/ve.**

D ☐ Marianela pierda/pierde el conocimiento ante las palabras de Golfín.

Capítulo séptimo

Domesticación★

7 Anduvieron los dos un rato sin decir nada. Aunque Teodoro Golfín era muy sabio y hablador, se sentía igual de torpe que la Nela, ignorante y lacónica★. Ella le seguía sin oponer resistencia y él caminaba más despacio como un padre que lleva a su hijo a la escuela. En cierto punto del camino, Golfín se sentó y puso a Nela de pie delante de él:

—¿Qué ibas a hacer allí? Responde claramente como se responde a un padre.

—Yo no tengo padre— respondió Nela con un poco de rebeldía★.

—Es verdad, pero imagínate que yo lo soy y responde.

—Allí está mi madre —respondió.

—Tu madre ha muerto, los que han muerto están en el otro mundo. Tú pensabas ir con ella, ¿verdad? Es decir, quitarte la vida.

—Sí señor, eso mismo.

—¿Y tú no sabes que tu madre cometió un crimen cuando se mató? ¿A ti no te han enseñado esto?

—No me acuerdo. Si yo me quiero matar, ¿quién me lo puede impedir?

—Pero, ¿no ves que a Dios no le gusta que nos matemos? ¡Pobre niña, abandonada a tus sentimientos naturales, sin educación ni

domesticación moderar la dureza de carácter de alguien, hacerlo menos salvaje

lacónico breve, de pocas palabras

rebeldía rebelarse ante algunas normas o personas

religión! ¿Quién te ha dicho que tu madre está allí? Cuando el alma sale del cuerpo nunca vuelve a él, ¿no te ha contado tu amo, Pablo, estas cosas?

—Sí me las ha dicho. Pero nunca más me las dirá...

—... ¿te matas? ¿Pensabas estar mejor arrojándote* a ese agujero?

—Sí señor. Estaría mejor porque no sentiría lo que ahora siento.

—¡Veo que eres muy tonta! Ahora tienes que confiar en mí y contarme tus cosas.

Nela sonrió con tristeza y cayó de rodillas al suelo.

—No, tonta, así no. Siéntate junto a mí —dijo Golfín—. Seguro que tenías ganas de contarle tus secretos a alguien, ¿verdad? Estás demasiado sola en el mundo. A ver, ¿por qué querías quitarte la vida?

La Nela no contestó nada.

—Yo te conocí feliz y satisfecha de vivir hace unos días. ¿Por qué te has vuelto loca de repente?

—Quería ir con mi madre. No quería vivir más. No sirvo para nada. Si Dios no quiere que me muera, me moriré yo misma por mi voluntad.

—Esa idea de que no sirves para nada te hace muy desgraciada. ¡Malditos sean quienes te la inculcaron*! Todos son responsables de tu vida en la soledad y el abandono. Tú sirves para algo, ¡sirves para mucho! Solo tienes que encontrar una mano que te ayude.

Nela estaba muy impresionada por estas palabras y miraba fijamente al doctor con asombro y reconocimiento.

—Pero ahora se te ha presentado la ocasión de salir de tu miserable abandono y la has rechazado. Florentina ha querido hacer de ti una amiga y una hermana. Tú has huido* de ella como una salvaje, ¿es esto ingratitud* o hay algo más que no comprendemos?

arrojar echar, lanzar
inculcar intentar que alguien aprenda y comparta una idea o concepto
huir escapar, marcharse deprisa de un lugar por miedo u otro motivo
ingratitud desagradecimiento, no apreciar lo que alguien hace por ti

—No, no, no —replicó* Nela—, yo no soy ingrata. Ya sabía yo que la gente iba a pensar que soy una ingrata... —dijo llorando—. No supe explicarle nada a la señorita...

—No te preocupes, yo hablaré con ella. Y si tú no quieres verla más yo le explicaré todo y le demostraré que no eres ingrata. Ahora dime todo lo que sientes, dime porqué querías quitarte la vida, ¿tanto la odias?

—Yo no odio la vida, sino que la deseo. Yo creo que cuando alguien muere obtiene lo que aquí no pudo conseguir. En mis sueños veo felices a todas las personas que han muerto. Las cosas bellas de la naturaleza, los árboles, las rocas, me miran y me dicen: "Ven con nosotras, muérete y vivirás sin pena...".

—¡Esa es una fantasía! Y, si deseas la vida, ¿por qué no quieres ir con Florentina?

—Porque, ella solo me ofrecía la muerte —dijo Nela con energía.

—Nela, tu amo me ha dicho que te quiere mucho. Te quería cuando era ciego y te quiere ahora que tiene vista. Ha preguntado por la Nela todo el tiempo. Para él todo el universo está ocupado por una sola persona. La luz que ahora tiene no le sirve de nada si no ve a la Nela.

—¡Pues no verá a la Nela! ¡La Nela no se dejará ver! Porque es muy fea. Se puede querer a la Nela con los ojos cerrados. Pero si abres los ojos y ves a Florentina, no puedes querer después a la pobre y enana* Marianela.

—¡Quién sabe!

—No puede ser... no puede ser— afirmó Nela levantándose de un salto.

—Tranquilízate. Verdaderamente no eres muy bonita, pero eso no

replicar contestar

enano persona de muy baja estatura

es muy importante. Tienes un amor propio excesivo, mujer.

—No debe haber cosas feas. Ninguna cosa fea debe vivir —dijo ella sin hacer caso* de las palabras del doctor.

—Si todos los feos tuviéramos que morir, el mundo estaría despoblado*. Tienes que olvidar estas ideas. Hay muchas otras cosas más importantes que la belleza. Búscalas en tu alma y las encontrarás. Aquí la cuestión principal es... que te has enamorado de tu amo. Es natural, no tiene nada de extraño. ¿Le quieres mucho? ¿Te ha dicho palabras de amor y te ha hecho juramentos*?

—Sí señor, me dijo que yo sería su compañera toda la vida... y yo lo creí. Me dijo que no podía vivir sin mí y que me querría siempre. Yo estaba contenta y no me importaba ser pequeña y fea. Él pensaba que yo era bonita, pero ahora...

—Ahora puede ver. Ya veo que es culpa mía —murmuró Golfín con compasión.

—No, usted ha hecho una cosa buena... pero yo tengo que desaparecer. Él verá a Florentina y la comparará conmigo... Ellos se casarán... y vivir con ellos me da miedo y vergüenza.

—Pero Florentina es buena y te querrá mucho.

—Yo también la quiero, pero no en Aldeacorba. Ha venido a quitarme a Pablo. Él era mío, sí señor... He perdido todo y quiero irme con mi madre.

Nela dio unos pasos, pero Golfín la detuvo.

—Ven aquí. Desde este momento serás mi esclava. Eres mía y harás lo que yo te diga. Voy a probar contigo un sistema de educación. Esta sociedad te ha dejado crecer en la soledad de las minas, no te ha enseñado nada. Pero aprenderás de todo, serás otra persona: una mujer de bien.

hacer caso obedecer
despoblado lugar donde no hay población
juramento afirmar o negar algo dando tu palabra

No sabemos si Nela entendió bien al doctor; triste y silenciosa apoyó su cabeza en el hombro de Golfín.

—Vámonos. Aquí hace frío.

Marianela se levantó, pero cayó de rodillas al suelo

—¡Oh!, señor —exclamó con espanto*—, no me lleve.

Estaba pálida y parecía muy enferma. Golfín levantó en brazos el cuerpo desmayado* de Marianela. Parecía una planta que acaba de ser arrancada* del suelo. Al llegar a la casa de Aldeacorba, la Nela levantaba las manos desesperadamente, pero callaba. Entró Golfín, todo estaba en silencio. Entraron en la habitación de Florentina; la señorita estaba arrodillada en el suelo, rezando. Don Teodoro puso a la Nela sobre un sofá y dijo:

—Aquí la traigo...¿soy buen cazador de mariposas?

Vamos a retroceder en el tiempo. Cuando don Teodoro retiró por primera vez la venda de Pablo, este dio un grito de miedo. El espacio iluminado era para él como un gran abismo. Su instinto de conservación le obligaba a cerrar los ojos. Todos los demás le animaron a mirar, pero él seguía teniendo miedo. Pablo sentía una mezcla de alegría y locura. Al cabo de un rato, el doctor pensó que era mejor volver a poner la venda. Sonriendo le dijo:

—Por hoy ya es suficiente.

Más tarde, el joven quiso ver la luz otra vez y don Teodoro consintió* en abrirle un poco la venda.

—Mi interior —dijo Pablo para explicar su impresión—, está inundado de hermosura. Antes no conocía esta hermosura. Enséñeme una cosa delicada y cariñosa..., la Nela, ¿dónde está la Nela?

—¡Dios mío! ¿esto que veo es la Nela? —dijo Pablo con admiración.

espanto terror, asombro, miedo
desmayarse perder las fuerzas y el sentido
arrancar sacar una planta desde su raíz
consentir permitir algo o dejar que se haga

—Es tu prima Florentina.

—¡Ah! —exclamó el joven confuso—.Prima, eres como una música deliciosa, la expresión de la armonía. ¿Y la Nela, dónde está?

—Ya tendrás tiempo de verla —dijo don Francisco muy contento.

Poco a poco Pablo empezó a descubrir la luz y los colores. Todo le parecía asombroso. Pudo ver las caras de las personas que amaba, pero seguía preguntando por la Nela. Le dijeron que no sabían dónde estaba y se puso muy triste.

Pronto empezó a separar la fealdad de la hermosura. Distinguía perfectamente estas dos ideas sin que nada influyera en él. Le pareció encantadora una mariposa, sin embargo el tintero* le pareció horrible. Vio una pintura de Cristo crucificado y otra de Galatea* en el mar y escogió esta última. Vio a las criadas o a otras mujeres de Aldeacorba y no le gustaron porque eran feas. Comparaba a todas las mujeres con la hermosura de su prima. Y todas le parecían feas.

Tenía una curiosidad insaciable. Estaba desconsolado porque no podía ver a la Nela, pero quería a su prima siempre a su lado.

Al tercer día Golfín le dio un espejo y vio su propia cara.

—¿Este soy yo? No soy feo... ¡el espejo es admirable!

Pablo estaba admirado con todo lo que veía. Admiraba mucho la belleza de su prima. Pero seguía preguntando por Nela. Florentina le dijo que Nela no quería ir a la casa y él replicó:

—Nela es vergonzosa y modesta. Tiene miedo de molestar a la familia, seguro. Florentina, yo la quiero mucho. Deseo ver a esa buena compañera y amiga mía.

—Yo misma iré a buscarla mañana.

—Sí, sí... pero no tardes mucho. Cuando no te veo estoy muy solo. Después de verte a ti, no necesito ver a ninguna otra mujer. Ahora me

tintero recipiente donde se pone la tinta de escribir

Galatea personaje mitológico

hace reír mi vanidad★ de ciego. Me empeñaba★ en apreciar las cosas sin verlas.

Al día siguiente, cuando Florentina fue a ver a su primo le dijo:

—Fui buscar a Marianela y se me escapó. ¡Qué ingratitud!

—¿Y no la has buscado?

—¿Dónde? Esta tarde saldré otra vez y la buscaré hasta que la encuentre.

—No, no salgas —dijo Pablo vivamente—. Ella aparecerá, vendrá sola. ¿Sabe que tengo vista?

—Sí, se lo he dicho. Pero parece loca. Dice que soy la Virgen y me besa el vestido. ¡Es una ingrata!

—No creas eso. Es muy buena...; la aprecio★ mucho. Es necesario que la busquen y la traigan aquí. Pero no vayas tú; tu obligación es acompañarme.

Pablo se levantó muy nervioso.

—Necesito quitarme la venda, ¿Dónde está Golfín? Necesito verte, hoy no te he visto, estoy loco por verte.

Subió Teodoro y le quitó la venda; le abrió las puertas de la realidad. Pasó el día tranquilo. Hasta la noche no se acordó de la Nela. Este punto de su vida se alejaba y se borraba como los barcos en el horizonte★.

Aquella noche oyó Pablo voces en la casa. Creyó oír la voz de Golfín, de Florentina y de su padre. Después se durmió. En su sueño, luchaban las hermosuras y fealdades del mundo visible. Se despertaban pasiones, se enterraban recuerdos... toda su alma se trastornaba★.

Al día siguiente Golfín le permitiría levantarse y andar por la casa.

vanidad arrogancia, presunción
empeñarse insistir mucho en algo
apreciar valorar
horizonte punto visual donde parecen juntarse el cielo y la tierra
trastornarse perturbar el sentido, volverse loco

ACTIVIDADES

Gramática y vocabulario

1a Completa estas frases usando los verbos entre paréntesis en Futuro de Indicativo. En algunas frases se usa este tiempo para indicar una voluntad o intención (I) y en otras para expresar una probabilidad o posibilidad (P). Escríbelo en el recuadro.

1 "¿No (estar) ________ pensando en quitarte la vida?" ☐
2 "Marianela (venir) ________ a vivir con nosotros y (ser) ________ muy felices". ☐
3 "¿Dónde está la Nela?" " No la encontramos, (estar) ________ caminando por los bosques". ☐
4 "No se preocupe Florentina, (encontrar) ________ a la Nela y la (traer) ________ aquí". ☐
5 "Pablo (ver) ________ a Florentina y la (comparar) ________ conmigo... Ellos se (casarse) ________ y vivir con ellos me da miedo y vergüenza". ☐
6 "No te preocupes, Florentina es buena y te (querer) ________ mucho". ☐
7 "Pobre Nela, incluso durmiendo parece intranquila... (estar) ________ soñando". ☐

1b Ahora intenta adivinar cuál de estos personajes dice las frases anteriores. Escribe el número de frase al lado del personaje que la pronuncia, como verás, a algunos les corresponde más de una frase:

a Doctor Golfín ☐ ☐ ☐ **b** Marianela ☐ **c** Florentina ☐ ☐ ☐

2 Completa con Infinitivo, Presente Indicativo o Subjuntivo:

1 No quiero que me (ver) ______ porque soy muy fea.
2 No me gusta que Florentina (pensar)______ que soy una desagradecida.
3 Quiero que (encontrar)______ a la Nela y le (decir)______ que quiero verla.
4 He logrado (encontrar)______ a la Nela, estaba en el bosque.
5 No quiero que Florentina me (odiar)______, ¡no lo soportaría!

6 Me parece que (estar) ______ enamorada de Pablo.
7 ¡No me digas que no (querer)______ ver a Pablo!
8 No me parece normal que Nela no (querer)______ vivir con nosotros.

ACTIVIDAD DE PRE LECTURA

DELE – Comprensión oral

▶ 8 **3 Escucha este fragmento del capítulo siguiente y contesta a las preguntas:**

1 ¿Cómo era la habitación de Florentina?
a ☐ soleada y alegre
b ☐ de colores y tenía un pájaro
c ☐ soleada pero aburrida

2 Florentina estaba...
a ☐ ordenando la habitación
b ☐ leyendo el periódico en el suelo
c ☐ cortando telas para hacer vestidos

3 Nela estaba...
a ☐ tranquila y descansada
b ☐ dormida, inquieta y enferma
c ☐ no estaba

4 El padre de Florentina
a ☐ no quería quedarse en Aldeacorba
b ☐ no quería ver a Florentina fabricando vestidos
c ☐ no quería a Nela en la habitación

5 Nela prefería vivir con...
a ☐ Florentina
b ☐ Los Centeno
c ☐ el doctor Golfín

6 Pablo entró en la habitación y...
a ☐ declaró su amor a Florentina
b ☐ declaró su amor a Nela
c ☐ se enfrentó al doctor Golfín

Capítulo octavo

Los ojos matan

▶ 8 La habitación de Florentina en Aldeacorba era la más alegre de la casa. Tenía luz, alegres colores y se escuchaba el canto de los pájaros.

Aquel fue un día tempestuoso*. Había llovido toda la mañana. Después se aclaró el cielo y, por último, apareció el arco iris.

En la habitación estaba Florentina cortando telas para hacer un vestido. Estaba en el suelo y a su lado había un montón de telas. Su padre le había dicho aquella mañana:

—Florentina, ¿para qué sirven las modistas*? No me gusta ver a una señorita de buena sociedad arrastrándose* por el suelo.

—Cualquier modista haría esto mejor que yo. Pero quiero hacerlo yo misma.

Después Florentina se quedó sola; no, no se quedó sola. Encima del sofá había una persona durmiendo. Su sueño era inquieto y su rostro, enfermo. Al mediodía volvió a entrar el padre de Florentina con Teodoro Golfín. La Nela parecía más calmada.

—Parece que su sueño es menos agitado —dijo Golfín—.

—Señor don Teodoro —dijo el padre de Florentina— ¿no es verdad que mi hija es única? Esta niña vale más que el oro. A estas horas mi hermano está hablando con su hijo. Cosas de familia: esto va a tener consecuencias positivas. Mire, don Teodoro, como está mi hija. Se ha

tempestuoso con tendencia a las tormentas
modista mujer que confecciona prendas de ropa
arrastrarse moverse deslizándose por el sueño; en sentido figurado, humillarse

puesto roja como una rosa de abril. Voy a ver a mi hermano...

—Pobre Nela —exclamó el médico—, tengo mucho interés por esta infeliz. Hay muchos miles de seres humanos como la Nela. ¿Quién los conoce? ¿Dónde están? Se pierden en los desiertos sociales, en la soledad de los campos, en las minas... A menudo pasamos a su lado y no los vemos. La Nela no es un caso excepcional. Hay muchos seres preparados para el bien, el saber y la virtud*. Están abandonados y apartados* y no pueden desarrollar las fuerzas de su alma. Pablo ha vivido ciego del cuerpo, ellos viven ciegos del espíritu.

Florentina estaba impresionada y parecía entender bien a Golfín.

—Aquí la tiene usted —añadió Golfín—. Tiene una fantasía preciosa, sensibilidad, sabe amar y su alma tiene grandes aptitudes*. Pero al mismo tiempo está llena de supersticiones, sus ideas religiosas son débiles, equivocadas, monstruosas, se guían solo por el sentido natural. No tiene educación. No debe nada a los demás. Su criterio es suyo. Sus ideales son naturalistas: es decir, su espíritu da preferencia a la forma y la belleza. Pero ella está hecha para conseguir grandes progresos en poco tiempo y ponerse a nuestro nivel. Está muy atrasada, pero mejorará. Pablo, sin querer, contribuía a aumentar sus errores. Esto era debido a su ignorancia de la realidad visible. Es un idealista exagerado y loco; no es el mejor maestro para un espíritu de esa clase. Nosotros enseñaremos la verdad a esa pobre criatura*.

En aquel momento despertó la Nela. Sus ojos observaron con miedo toda la habitación. Después se detuvieron en las dos personas que la miraban.

—¿Nos tienes miedo? —dijo Florentina dulcemente.

—No, señora, miedo no —balbuceó la Nela—. Usted es muy buena. El señor don Teodoro también.

virtud integridad y bondad de carácter
apartado retirado
aptitud tener buena disposición para hacer algo
criatura niño/a

—¿No estás contenta aquí? ¿Qué temes*? Ahora vas a vivir con uno de nosotros dos. Decide con quién te gustaría vivir.

Marianela miró a Golfín y a Florentina sin contestar. Por último se detuvo en el rostro de Golfín.

—¿Soy el preferido? —dijo Golfín—. Es una injusticia, Nela; Florentina se enfadará.

—No quiero que se enfade —dijo la enferma sonriendo.

Al decir esto Marianela se quedó pálida y sus ojos se abrieron exageradamente. Su oído prestaba atención a un rumor terrible. Había oído pasos.

—¡Viene! —exclamó Golfín con miedo.

—Es él —dijo Florentina, corriendo hacia la puerta.

Era él. Pablo estaba empujando la puerta y entraba despacio. Venía riendo. Se había quitado la venda y sus ojos estaban libres. Todavía no conocía bien los movimientos de rotación del ojo, así que casi no veía las imágenes laterales. Solo veía las cosas que tenía delante.

—Primita, no has venido a verme hoy. Vengo a buscarte. Tu papá me ha dicho que estás haciendo vestidos para los pobres.

Pablo no había visto ni al doctor ni a la Nela. Florentina se alejó del sofá y lo dirigió hacia el balcón.

—Mi padre ha venido y me ha hablado de ti —dijo el muchacho—. Cuando se ha marchado he sentido una fuerte sensación en mi pecho. Creo en la luz y creo que no hay en el mundo una criatura como tú.

Al decir esto puso una rodilla en el suelo. Florentina se alarmó*:

—¡Primo..., por Dios!

—Prima, yo creí que podría querer a otra más que a ti. ¡Qué tontería! He confesado todo a mi padre y me ha dicho que yo amaba a un monstruo. Ahora amo a un ángel. ¡Esposa de mi alma!

temer tener miedo de algo

alarmarse sobresaltarse, inquietarse

Pablo tomó* una mano de su prima y empezó a besarle el brazo:

—Quita, quita —dijo Florentina—. Doctor, dígale usted algo.

—¡Rápido! Póngase la venda en los ojos y vaya a su cuarto joven —gritó Golfín.

Pablo se volvió confuso hacia aquel lado y vio al doctor junto al sofá. Vio un rostro cadavérico en el sofá, de aspecto muy desagradable. La pobre Nela estaba agonizando*. De repente, fijó sus ojos en Pablo y le tendió una mano. Al sentir el contacto de esa mano, Pablo se estremeció de pies a cabeza y gritó.

—Sí señorito mío. Yo soy la Nela.

Lentamente le dio un beso en la mano... después otro beso..., y al tercer beso sus labios resbalaron sin vida sobre la mano de Pablo.

Todos callaron. El primero en hablar fue Pablo:

—¡Eres tú..., eres tú!

Florentina se acercó llorando a Nela y Golfín pronunció estas lúgubres* palabras:

—¡La mató! ¡Maldita vista suya!

Golfín se acercó y notó que el corazón de Nela todavía latía muy débil. Pablo se acercó y le gritó:

—¡Nela, amiga querida!

La mujercita abrió los ojos y movió las manos. Parecía volver desde muy lejos. Vio que Pablo la miraba y quiso taparse la cara.

—¡Nela! —repitió Pablo con un gran dolor—. ¿Por qué me tienes miedo? ¿Qué te he hecho yo?

La enferma tomó con una mano la mano de Florentina y con la otra, la mano de Pablo. Las apoyó sobre su pecho. Entonces suspiró.

—¿Pero de qué muere? ¿Qué mal es este? —preguntó Florentina al doctor.

tomar coger
agonizar estar en los últimos momentos de vida
lúgubre triste, sombrío

—La muerte. ¡Las pasiones! Pregúntele a su futuro esposo que pasiones la están matando. Un ciego la amaba, y ese ciego la ha visto... ¡esto es como un asesinato! Son las ilusiones que mueren, el golpe de la realidad.

La Nela, que nunca había tenido nada, tuvo un magnífico sepulcro. La señorita Florentina quiso hacer un gran entierro porque no había podido cuidar a la Nela en vida.

Cuando la enterraron, los curiosos que fueron a verla la encontraron casi bonita. Al menos eso decían.

Algunos meses después se casaron Florentina y Pablo Penáguilas. Ya nadie recordaba a la Nela en Aldeacorba de Suso. No se sabe cómo llegaron a aquellas tierras unos turistas y vieron el gran sarcófago de mármol blanco en el cementerio. Se quedaron muy sorprendidos y escribieron estos apuntes con el título de *Sketches from Cantabria*. Más tarde los publicó un periódico inglés:

"Lo más sorprendente en Aldeacorba es el espléndido sepulcro que guarda las cenizas de una ilustre* joven. Fue famosa por su hermosura y perteneció a una de las familias nobles más ricas de Cantabria. Se vestía como una mendiga para mezclarse con la plebe* española. Pero ella sabía presentarse en las fiestas de Madrid con el porte* más aristocrático.

Al leer esto era fácil entender que los reporteros* habían visto visiones. Yo descubrí la verdad y escribí este libro.

ilustre de origen noble, célebre, famoso
plebe clase social más baja
porte nobleza de la sangre
reportero periodista

DELE - Gramática y vocabulario

1 En las siguientes frases hay una palabra que no es correcta y está en negrita. Debes sustituirla por otra palabra de la columna de la derecha:

1 ☐ No quiero que trabajes **por** hacerte vestidos.
2 ☐ Nela **estuvo** pálida cuando oyó pasos acercándose.
3 ☐ Pablo se volvió confuso **desde** aquel lado y vio al doctor junto al sofá.
4 ☐ Creo que no **haya** en el mundo una criatura como tú.
5 ☐ Pablo estaba **tirando** la puerta y entraba despacio.
6 ☐ Vio que Pablo la miraba y **querría** taparse la cara.
7 ☐ **De momento**, la mujercita abrió los ojos y movió las manos.
8 ☐ Los miró a los dos y **al cabo de** se detuvo en el rostro de Golfín.

a De repente
b hacia
c Por último
d quiso
e para
f se puso
g empujando
h hay

2 Completa estas frases con los verbos correspondientes del recuadro en el tiempo adecuado. Ten en cuenta que algunos necesitan preposición:

darse cuenta • pensar • quedarse de piedra • dar miedo • convertirse • ponerse nerviosa • arrepentirse • enfadarse • acercarse

1 Cuando se despertó Nela dijo que no le ____________ estar allí.
2 Nela se ______________ cuando escuchó a Pablo en el pasillo.
3 El doctor Golfín ______________ con Pablo por entrar en la habitación sin avisar.
4 Pablo ______________ cuando vio a Nela en el sofá.

5 En algunos momentos Golfín __________ haber dado la vista a Pablo.
6 Cuando ____________ que era Nela, Pablo __________ ella.
7 Florentina _____________ lo infeliz que Nela había sido siempre.
8 Con el tiempo la historia de Nela _____________ en una fábula.

Comprensión lectora

3 Completa las preguntas para las siguiente respuestas:

1 ______________________________________en el suelo de su habitación?
Unos vestidos para Nela.
2 _____________________________________cuando se volvió a mirar a Golfín?
Vio a Nela tumbada en el sofá agonizando.
3 _________________________________quién era la persona tumbada en el sofá?
Pablo supo que era Nela cuando esta le cogió la mano.
4 _____________________________________, según el doctor Golfín?
El doctor no lo sabía, dijo que murió de muerte y de desilusión.
5 _________________________________los curiosos que vieron a Nela muerta?
La encontraron casi bonita.
6 __________________________________publicado en un periódico inglés?
El título era *Sketches from Cantabria.*

Expresión escrita

4 Marianela es una obra realista que analiza la importancia dela belleza y la fealdad en nuestra sociedad. El final es triste y pesimista, Marianela muere víctima de la desilusión y el rechazo. ¿Qué piensas de la obra? ¿Qué mensaje quiere trasmitir? ¿Piensas que se puede aplicar a la sociedad actual? Da tu opinión en 80 o 100 palabras.

Benito Pérez Galdós y la novela realista

Benito Pérez Galdós, Joaquín Sorolla, 1894

Su obra

Su producción literaria fue enorme y es difícil escoger cuáles fueron sus obras más importantes. Sin duda Marianela ocupa un lugar importante; otras de sus novelas más apreciadas son: *Fortunata y Jacinta, Doña Perfecta, Miau y El doctor Centeno.* Esta última narra la historia de Celipín, el ambicioso amigo de Marianela que persigue ser médico y convertirse en un caballero. Otro escritor de la época, Valle Inclán, llamaba a Galdós "Benito el Garbancero" por su estilo tan genuino y español, que reflejaba la realidad cotidiana de la época. Galdós supo crear mundos y personajes llenos de vida y realismo. Fue un excepcional cronista de la agitada España del siglo XIX.

Su vida

Nació en Las Palmas de Gran Canaria en 1843. Fue un gran hombre de cultura y trabajó prácticamente todos los ámbitos de la literatura: novela, teatro, ensayo, crónica... Es uno de los principales representantes de la novela realista del siglo XIX en España.A los veinte años se fue a Madrid a estudiar derecho. Allí empezó a entrar en contacto con diversas personalidades del mundo cultural. Pronto comenzó a escribir en varios periódicos de la capital. También era asiduo a las representaciones de los teatros más importantes. Una curiosidad del carácter de este gran escritor es que era muy tímido. Era tan tímido que hablaba muy poco y sufría si tenía que hablar en público. En 1867 viaja a París como corresponsal de la Exposición Universal. Allí conoce a los grandes autores realistas europeos como Balzac o Dickens.Publica su primera obra, *La fontana de oro*, en 1870. En ella analiza la situación política de España en la época. A partir de entonces la publicación de obras es continua, muy extensa y variada. En 1889 obtiene uno de los mayores reconocimientos que se pueden obtener en España: entra a formar parte de la Real academia de la lengua española.

El conocimento de la realidad

Gracias a las amistades que hizo en las tertulias de los cafés madrileños viajó mucho. Uno de sus lugares preferidos era Cantabria, lugar donde está ambientada Marianela. Galdós tenía el vivo deseo de conocer bien España para poder escribir sobre ella. Por este motivo recorrió la Península en el ferrocarril. Viajaba en tercera clase junto a gente humilde y sin recursos. Se alojaba en posadas y hostales de la más baja categoría. Su intención era conocer al pueblo, a la gente normal, mezclándose con ellos. En sus años de madurez se retira de su intensa vida social, del teatro, de las tertulias y se dedica en cuerpo y alma a escribir. Se dice de él que se levantaba cuando salía el sol y se ponía a escribir. Al contrario que la mayoría de los escritores de la época, escribía con lápiz y no con pluma. Esto se debía a que la escritura con tinta le obligaba a ir más despacio y perder tiempo.Otro hecho peculiar de la vida de Galdós es que espiaba las conversaciones de la gente para poder dotar a sus personajes de frescura y naturalidad. En 1907 Madrid lo eligió representante de las Cortes por el partido republicano, aunque él nunca se consideró un hombre de política. En los últimos años de su vida tuvo un problema que lo une al protagonista de Marianela: la ceguera. Se quedó completamente ciego en 1912.

Cantabria

La sociedad española del S.XIX

El trabajo infantil

En esta novela aparecen varias realidades de la sociedad rural de la España del siglo XIX. Por una parte tenemos a la familia Penáguilas, nuevos ricos gracias a dinero heredado de familiares fallecidos; por otra, a los hermanos Golfín, burgueses que lucharon y trabajaron para alcanzar su posición y, por último, a la familia Centeno, trabajadores mineros. Esa familia, con todos sus hijos obligados a trabajar por sus padres, es un claro ejemplo de la situación de muchas familias españolas del s. XIX. La analfabetización y el bajo nivel de escolarización de los niños fueron problemas muy presentes durante todo el siglo XIX. La verdad es que el trabajo infantil nunca se consideró un problema, hasta la llegada del sistema de trabajo en las fábricas.

Trabajo infantil en las fábricas, 1910]

Problemas de analfabetización

La escolarización y la alfabetización en España fueron un proceso muy lento. A mediados del s. XIX se consideraba que este era uno de los principales problemas del país. Los grupos políticos más progresistas culpaban de este retraso al Estado porque invertía muy poco dinero en educación. Sin embargo, la realidad es que la falta de interés de los padres por la escuela era, probablemente, el problema principal. Este desinterés era especialmente evidente en el medio rural, en el campo. Las familias necesitaban a sus hijos para trabajar, para aportar dinero a la economía familiar.

La educación de la mujer en el s. XIX

La escolarización de los niños era muy reducida. Y era especialmente baja en el caso de las mujeres. En el libro aparece el personaje de Florentina, hija de padre burgués y adinerado. Por lo que nos dice la novela, no parece que esta muchacha vaya a la escuela. Las labores de manos como coser, cocinar, etc. eran consideradas la ocupación más adecuada para las mujeres. Así que esto era principalmente lo que se les enseñaba en la escuela. De hecho, un censo de 1860 demuestra que la analfabetización femenina era altísima, ¡incluso en niñas escolarizadas! Esto se debe a que muchas escuelas femeninas enseñaban a las niñas a formarse para su futura vida adulta. Y la sociedad de aquella época consideraba que la "función natural" de la mujer era llevar la casa, criar a los hijos, rezar, cocinar, coser, cuidar a su marido...

Hacia un nuevo cambio de la educación

El cambio empieza a llegar cuando se da una nueva importancia a las funciones maternas: por influencia de los ilustrados franceses, se empieza pensar que madres ignorantes solo pueden criar hijos ignorantes. A partir de ese momento parece necesario dar una enseñanza a las mujeres.

Muchos literatos y personajes de cultura del s.XIX se encargaron de denunciar esta situación de la mujer en sus obras. Galdós no se cansó de reflejar la triste realidad de las mujeres en sus muchas novelas. Otro escritor que escribió sobre este tema fue Leandro Fernández de Moratín en su obra *El sí de las niñas*. En esta obra dice de las mujeres educadas en la incultura: "las juzgan honestas luego que las ven instruidas en el arte de callar y mentir (...) se llama excelente educación a la que inspira en ellas el temor, la astucia y el silencio de un esclavo".

Familia, 1910

La moda en el s.XIX

Un nuevo gusto

Gracias a la máquina de vapor había trenes y barcos más rápidos, como consecuencia en el s.XIX se viajaba más y llegaban más influencias de otros países. Ya en aquella época, Francia era un importante referente para la moda. Otra novedad está en las telas y los bordados. El gusto por Oriente y lo exótico que caracteriza algunas corrientes culturales del s. XIX, como el Romanticismo, está presente también en la moda. Había telas que se tejían y bordaban en Oriente y se vendían después en Europa. Se aplicaban tanto a zapatos como a vestidos y prendas de abrigo. También se usaban animales exóticos para adornar trajes y accesorios. Otro truco de la época era adornar mucho los vestidos para hacerlos parecer prendas extraordinarias. Por ejemplo: se podía decorar una capa con plumas de aves domésticas para darle un aspecto exótico.

El estilo femenino del SXIX

La mujer pudo empezar a estar algo más cómoda ¡y a quitarse peso de encima! Armaduras flexibles de acero ensancharon las faldas y liberaron a las pobres mujeres de varias capas de pesadas enaguas. También mejoraron el diseño y los materiales del incómodo corsé, que ayudó a moldear una figura más esbelta. Además, las nuevas tecnologías también llegaron al mundo de la moda! Se empezaron a usar tintes naturales y artificiales y se lograron colores llamativos con matices deslumbrantes. La máquina de coser también supuso una pequeña revolución en la confección de la ropa. Se ahorraba mucho tiempo con la máquina.

Novedades en el vestir masculino

¡Pero bueno, no solo la moda femenina se vio revolucionada durante el s.XIX! La moda masculina suele ser, en general, menos llamativa que la femenina. A pesar de esto, también podemos hablar de algunas innovaciones en los broches o un nuevo estilo de chalecos que se podían cerrar por detrás.

Al contrario que los trajes femeninos, los masculinos se hicieron más sencillos. Aunque mejoraron notablemente en pequeños y delicados detalles; el resultado es que el corte del traje y la confección ganaron en calidad y elegancia. En muchos casos, los trajes masculinos copiaban detalles de los trajes militares. Aquí se nota la influencia del periodo de guerras napoleónicas a principios de siglo.

Una curiosidad es que fue durante este siglo cuando se empezó a utilizar el color rojo en los trajes de caza.

The Powder Puff, Georges Croegaert

Se empieza a cuidar más la imagen

En general, también en aquella época, como sucede ahora, se recuperaban modas de otros tiempos. El neoclásico, las estatuas griegas y romanas, el estilo Tudor... se cogían detalles que daban lugar a nuevas creaciones estilísticas. Este siglo también conllevó novedades importantes para otro aspecto de la moda muy importante para las mujeres... ¡el maquillaje! Si bien es verdad que las mujeres se maquillan desde la antigüedad, en el s.XIX encontramos algunos elementos importantísimos del maquillaje moderno. Por ejemplo ¡aparece el primer pintalabios! También encontramos el primer intento de reducir las arrugas faciales. Se trataba de una especie de máscara hecha con arsénico y plomo, eso sí ¡algo incómoda de llevar!

TEST FINAL

Di si las siguientes afirmaciones son verdaderas (V) o falsas (F).

	V	F
1 La madre de Nela se fue cuando nació y nunca más regresó a Socartes.	☐	☐
2 El doctor Golfín se perdió intentando llegar andando hasta Socartes.	☐	☐
3 La familia Centeno trataban a Marianela con afecto y comprensión.	☐	☐
4 Antes de trabajar en las minas los Centeno vendían ollas de barro.	☐	☐
5 Los Centeno tenían 5 hijos, tres chicas y dos chicos.	☐	☐
6 Celipín odiaba trabajar en la mina, quería marcharse de allí y estudiar.	☐	☐
7 La casa de los Penáguilas era bonita y alegre, con un corral y un huerto.	☐	☐
8 El señor Penáguilas fue guardia civil de joven.	☐	☐
9 Pablo y Nela pensaban que tenían muchas cosas en común y que estaban hechos el uno para la otra.	☐	☐
10 A Pablo y Marianela les gusta mucho ir a la Trascava.	☐	☐
11 Mientras estaban de paseo Lily se cayó en la Trascava y Nela la salvó.	☐	☐
12 Nela tenía toda su confianza en la Virgen María.	☐	☐
13 Caminando por el bosque Marianela vio a Florentina cogiendo moras y la confundió con un hada del bosque.	☐	☐
14 La operación de Pablo fue todo un éxito.	☐	☐
15 Nela le propuso a Celipín fugarse juntos, estaba decidida a dejar Socartes.	☐	☐
16 Cuando vio a Pablo, Nela se recuperó milagrosamente.	☐	☐

PROGRAMA DE ESTUDIOS

Temas
Historia del s. XIX
Literatura.

DESTREZAS
Expresar una acción ocurrida en una unidad de tiempo terminada
Hablar de una acción que sucedió una sola vez
Organizar la información en un relato
Describir la situación o las circunstancias en las que se produjo un hecho, así como el lugar donde sucedió
Narrar hechos pasados; biografías y experiencias personales
Expresar una acción pasada anterior a otra acción pasada
Expresar la duración de una acción empezada en el pasado y que continúa en el presente
Describir los rasgos físicos y la personalidad de alguien
Expresar la causa de un acontecimiento
Expresar probabilidad , deseos y planes de futuro
Expresar estados de ánimo: alegría, pena y sorpresa
Hacer comparaciones y destacar una cosa entre varias.
Expresar felicitaciones y deseos sociales.

CONTENIDO GRAMATICAL

Usos de los pasados
Presente de subjuntivo: uso en las subordinadas temporales, subordinadas sustantivas (verbos de la cabeza, verbos de sentimiento)
Perífrasis de probabilidad: deber (de) / tener que + infinitivo
Verbos con preposición (alegrarse de, estar harto de...)
Verbos que expresan cambio de ánimo
Usos de ser: ser + adjetivos de personalidad (cualidades y defectos)
Marcadores temporales
Conectores discursivos
Preposiciones para narrar hechos del pasado (a + artículo determinado + cantidad de tiempo + de + infinitivo)
Cuantificadores:
Construcciones oracionales
Comparaciones: superlativo relativo

LECTURAS ELI JÓVENES Y ADULTOS

NIVEL 2 Anónimo, *Lazarillo de Tormes*

NIVEL 3 Benito Pérez Galdós, *Marianela*
Fernando de Rojas, *La Celestina*
Leandro Fernández de Moratín, *El sí de las niñas*

NIVEL 4 Miguel de Cervantes, *Don Quijote de la Mancha*
Miguel de Unamuno, *Niebla*